SPN 168 100 231

VG, la réfé

D0259946

VG
Editions

ECN+

DERNIERS TOURS

validation
PUPH-PH

Collection dirigée par L. LE

OPHTALMOLOGIE

Edition 2013

E. MARTIN

ω 18-15 OPH

Editions Vernazobres-Grego

99 bd de l'Hôpital
75013 Paris - Tél. : 01 44 24 13 61
www.vg-editions.com

Toute reproduction, même partielle, de cet ouvrage est interdite.
Une copie ou reproduction par quelque procédé que ce soit, photographie, microfilm,
bande magnétique, disque ou autre, constitue une contrefaçon passible des peines
prévues par la loi du 11 mars 1957 sur la protection des droits d'auteurs.
Février 2013 - ISBN : 978-2-8183-0645-1

120098 673 1

Remerciements :

A tous mes co-internes d'ophtalmologie du CHU de Nantes :
- Les plus anciens déjà devenus chefs : Jonathan, Gaëlle
- Les futurs chefs pour leur aide précieuse : Lucy et Chloé
- Les « un peu plus jeunes » mais plus tant que ça finalement :
  Pierre et Clémence
- Et les plus jeunes : Mathieu, Alice, Alex, Lindsay, Jean-
  Baptiste et les suivants...

A mes amis co-internes d'autres spécialités qui n'ont pas eu la sagesse de choisir la meilleure des spécialités !

A mes chefs du CHU de Nantes grâce auxquels j'apprends tous les jours un peu plus.
Un grand merci tout particulièrement au **Dr Isabelle Orignac, PH du service d'ophtalmologie de Nantes,** qui a pris de son temps pour la relecture de cet ouvrage et ses précieux conseils.

Au **Pr Michel Weber, chef de service du CHU de Nantes**, pour son aide, lors de la réalisation première de ce livre.

SOMMAIRE

11	212	Œil rouge et/ou douloureux	I	• Diagnostiquer un œil rouge et/ou douloureux • Identifier les situations d'urgence et planifier leur prise en charge	75
II	233	Diabète sucré de type 1 et 2 de l'enfant et de l'adulte	III (V)	• Diagnostiquer un diabète chez l'enfant et chez l'adulte • Identifier les situations d'urgence et planifier leur prise en charge • Argumenter l'attitude thérapeutique et planifier le suivi du patient • Décrire les principes de la prise en charge au long cours	91
II	240	Glaucome chronique	I	• Diagnostiquer un glaucome chronique • Argumenter l'attitude thérapeutique et planifier le suivi du patient	97
II	246	Hyperthyroïdie	0	• Diagnostiquer une hyperthyroïdie • Argumenter l'attitude thérapeutique et planifier le suivi du patient	105
II	271	Pathologie des paupières	0	• Diagnostiquer et traiter un orgelet, un chalazion	111
II	287	Trouble de la réfraction	0	• Diagnostiquer un trouble de la réfraction	117
III	293	Altération de la fonction visuelle	I	• Devant une altération de la fonction visuelle, argumenter les principales hypothèses diagnostiques et justifier les examens complémentaires pertinents	125
III	304	Diplopie	I	• Devant l'apparition d'une diplopie, argumenter les principales hypothèses diagnostiques et justifier les examens complémentaires pertinents	131
III	333	Strabisme de l'enfant	0	• Devant un strabisme de l'enfant, argumenter les principales hypothèses diagnostiques et justifier les examens complémentaires pertinents	139

Sujets ECN :
- Chiffres hors parenthèse : sujets tombés abordant l'ophtalmologie
- Chiffres entre parenthèse : nombre de fois où l'item concerné est tombé, abordant ou pas, l'ophtalmologie

CONFERENCE DE CONSENSUS - RECOMMANDATONS

ANNEE	SOURCE	CONFERENCE DE CONSENSUS RECOMMANDATONS
2000	ANAES	Cataracte de l'adulte: évaluation du traitement chirurgical
2000	ANAES	Troubles de la réfraction: correction par laser Excimer
2001	ANAES	Dégénérescence maculaire liée à l'âge: traitements
2002	ANAES	Amblyopie: dépistage précoce des troubles visuels chez l'enfant
2004	AFSSAPS	Infections oculaires superficielles: collyres et autres topiques antibiotiques
2006	HAS	Glaucome chronique: dépistage et diagnostic précoce du glaucome
2007	HAS	Interprétation des photographies du fond d'œil
2007	SFO	Rétinopathie diabétique: dépistage par fond d'œil

1 ANATOMIE

Segment antérieur : de la partie antérieure du globe à la face postérieure du cristallin, remplit d'humeur aqueuse, il comprend :

- La cornée et le limbe (jonction entre la cornée et la sclère)
- **La chambre antérieure** : entre la cornée et l'iris
- L'iris, ouvert au centre par la pupille
- **La chambre postérieure** : entre l'iris et la face antérieure du cristallin
- Le corps ciliaire et le cristallin

Le segment postérieur : situé de la face postérieure du cristallin à la partie postérieure du globe oculaire. Il est constitué de l'extérieur vers l'intérieur par :

- La sclère : où s'insèrent les muscles oculomoteurs
- La choroïde comprenant le réseau vasculaire allant irriguer les couches externes de la rétine
- L'épithélium pigmentaire
- La rétine neurosensorielle constituée des photorécepteurs : les cônes (pour la vision du détail et des couleurs) et les bâtonnets (pour la vision nocturne et le champ visuel)
- Le vitré

Les voies optiques (cf item 293): du lobe occipital jusqu'à la tête du nerf optique (= papille) visible au fond d'œil

2 EXAMEN OPHTALMOLOGIQUE

Interrogatoire :

- Antécédents personnels et familiaux ophtalmologiques
- Terrain principalement **facteurs de risque cardiovasculaire**

- Motif de consultation :
  - **Signes fonctionnels** : terminologie
    - × Baisse d'acuité visuelle : loin/près
    - × Douleurs : superficielles ou profondes
    - × Phosphènes : sensation d'éclairs lumineux
    - × Myodésopsies : sensation de « mouches volantes »
    - × Métamorphopsies : déformation des lignes
    - × Diplopie
    - × Troubles du champ visuel mono ou binoculaire
    - × Blépharospasmes : clignements réflexes des paupières
    - × Héméralopie : gêne à la vision crépusculaire
    - × Dyschromatopsie : trouble de la vision des couleurs
    - × Photophobie : gêne à la lumière
  - Mode de survenue et évolution

- Traitements

Schéma de l'œil

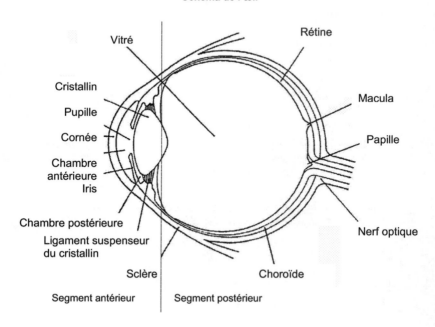

Examen ophtalmologique **bilatéral et symétrique** :

- Annexes et orbite :
  - Paupières : mouvement, ptosis, inflammation
  - Glande lacrymale (dans l'angle orbitaire temporal supérieur)
  - Voies lacrymales au canthus interne
- Oculomotricité
- Réflexes photomoteurs direct et consensuel
- **Acuité visuelle subjective** sans et avec correction optique :
  - **De loin** (à 5m) : **échelle de Monoyer** de $1/10^{ème}$ à $10/10^{ème}$
  - **De près** (à 33cm) : **échelle de Parinaud** de P14 à P2

- **Réfraction objective** sous cycloplégique :
  - Réfractomètre automatique : mesure automatisée

  - Skiascopie : de moins en moins utilisée

- **Lampe à fente** : examen du segment antérieur

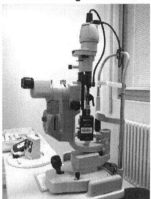

  – Conjonctive : sécrétions, « œil blanc ou rouge », chémosis (œdème conjonctival)
  – Cornée avec test à la fluorescéine : transparence, corps étranger, ulcération, abcès
  – Chambre antérieure : claire, tyndall (cellules inflammatoires en chambre antérieure), hypopion (pu) ou hyphéma (sang)
  – Iris et pupille : forme de la pupille, réflexe photomoteur, synéchies
  – Cristallin : transparence
- **Gonioscopie** : analyse de l'angle irido-cornéen (par un verre de contact spécial ou par utilisation du petit miroir du verre à trois miroirs cf ci-dessous)
- **Fond d'œil** :
  – Après dilatation pupillaire par mydriatique
  – Par interposition d'une lentille non contact
  – Ou avec verre contact comme le verre à 3 miroirs pour l'étude de la rétine périphérique

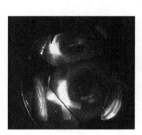

- Visualise le segment postérieur :
  - × Papille (ou tête du nerf optique)
  - × Vaisseaux rétiniens avec disposition parallèle des veines et des artères
  - × La rétine périphérique au-delà des arcades vasculaires
  - × Le pôle postérieur avec au centre la macula : zone plus sombre responsable de la vision précise

Fond d'œil normal

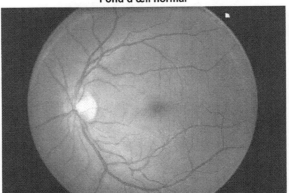

- **Tonus oculaire** par tonomètre à air (mesure réalisée par le réfracteur automatique cf ci-dessus) ou par aplanation :
  - Systématique après 40 ans ou en cas d'antécédents familiaux
  - Normal < 21mmHg

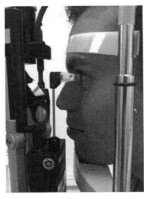

3 EXAMENS COMPLEMENTAIRES

Fonctionnels :

- **Champ visuel** :
  - **Périmétrie cinétique de Goldmann** : indiquée dans les pathologies neuro-ophtalmologiques afin de voir les amputations importantes du champ visuel

Périmétrie de Goldmann normale

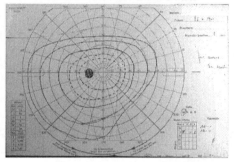

- **Périmétrie statique automatisée** : référence dans le glaucome chronique

Périmétrie statique automatisée
évoquant un glaucome chronique avancé

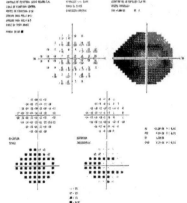

- Test de vision des couleurs

Tests de vision des couleurs

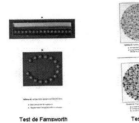

| Test de Farnsworth | Test d'Ischiara |

- Explorations électrophysiologiques :
  - Potentiels évoqués visuels : pour les pathologies neuro-ophtalmologiques
  - Electrorétinogramme : pour les pathologies rétiniennes

Anatomiques réalisés dans le service d'ophtalmologie :

- Echographie oculaire :
  - Mode A ou biométrie : longueur axiale de l'œil
  - Mode B : analyse la structure du segment postérieur lors de l'inaccessibilité du fond d'œil

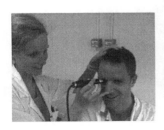

- **OCT** (tomographie en cohérence optique) : Coupe anatomique de la rétine permettant l'analyse de l'épaisseur de la rétine ou des fibres optiques

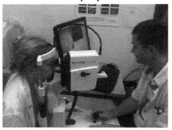

Mode Raster (analyse la macula) :

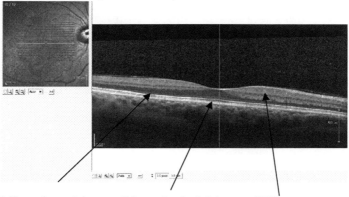

Epithélium pigmentaire   Dépression fovéolaire   Rétine neurosensorielle

Mode RNFL (analyse les fibres optiques de la papille) :

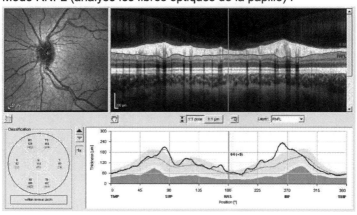

- **Angiographie à la fluorescéine** : étudie la vascularisation rétinienne

Angiographie à la fluorescéine normale

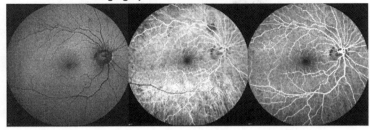

- Angiographie au vert d'indocyanine : visualise la vascularisation choroïdienne

Anatomiques réalisés par le radiologue :
- Radiographies standard du cadre orbitaire (désuet)
- TDM orbitaire : recherche de corps étranger ou mesure d'une exophtalmie
- IRM du nerf optique (traumatisme, suspicion sclérose en plaques)

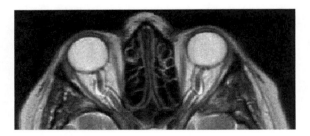

4 COLLYRES UTILISES PENDANT LA CONSULTATION

Fluorescéine :
- Colorant orange qui adhère aux zones épithéliales endommagées. Permet de mettre en évidence les ulcérations ou plaies cornéo-conjonctivales.

- Examen en lumière ambiante : retrouve des lésions colorées jaunes-oranges.
- Lésions mieux visualisées en lumière bleue : lésions devenant alors vertes fluo

Les collyres mydriatiques :
- Tropicamide (Mydriaticum®)
- Phényléphrine (Néosynéphrine®)

Les collyres mydriatiques et cycloplégiants :
- Cyclopentolate (Skiacol®)
- Atropine

Les collyres myotiques :
- Pilocarpine

* Argumenter les modalités de dépistage et de prévention des troubles de la vue

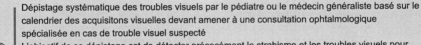

Dépistage systématique des troubles visuels par le pédiatre ou le médecin généraliste basé sur le calendrier des acquisitons visuelles devant amener à une consultation ophtalmologique spécialisée en cas de trouble visuel suspecté

L'objectif de ce dépistage est de détecter précocément le strabisme et les troubles visuels pour les prendre en charge de façon adaptée, prévenir l'amblyopie et améliorer les apprentisages de l'enfant

Devant une leucocorie, éliminer systématiquement en urgence un rétinoblastome

1 ACQUISITIONS VISUELLES

Age	Acquisitions
Nouveau-né	Réflexe photomoteur Fermeture oculaire en lumière forte
1 mois	Fixation et poursuite oculaire des objets
3 mois	Sourire-réponse, reconnaissance du visage maternel Synergie oculo-céphalique
5 mois	Coordination œil-tête-main
6 ans	Acuité visuelle finale de 10/10ème en l'absence de trouble visuel

2 CALENDRIER DE DEPISTAGE

Dépistage réalisé par le pédiatre ou le médecin généraliste

Rechercher les **facteurs de risques** de troubles visuels 🖋 :

- Prématurité < 32 SA ou poids de naissance < 2.500 g
- Infection materno-fœtale et embryo-fœtopathie
- Trisomie 21
- Intoxication fœtale à l'alcool, à la cocaïne ou au tabac
- Malformation de la face
- Antécédents familiaux de troubles visuels

Examens obligatoires :

- **Première semaine de vie** :
  - Examen de la face et des annexes
  - Examen de la cornée, de l'iris, de la pupille : symétrie, taille, couleur
  - Réflexe photomoteur
- **2, 4 et 9 mois** : l'objectif est le **dépistage précoce d'un strabisme et la prévention de l'amblyopie** 💣 (diminution de l'acuité visuelle d'un œil sans cause organique, secondaire à la privation visuelle ou à une anomalie binoculaire. Cf item 333) :
  - Comportement oculaire
  - Mobilité et poursuite oculaire
  - Synergie oculo-céphalique
  - Tolérance à l'occlusion alternée des yeux
  - Reflets cornéens
- **24 mois** :
  - Dépistage d'un strabisme et d'une amblyopie
  - Dépistage des troubles visuels

Un examen ophtalmologique conseillé à **6 ans** (à l'entrée au CP) : Dépistage de troubles des apprentissages pouvant être en lien avec un trouble visuel

3 TROUBLES VISUELS

Doivent conduire à une **consultation ophtalmologique spécialisée :**
- **Retard d'acquisition**
  - Absence de poursuite oculaire
  - Asynergie oculo-céphalique
- **Absence de clignement à la menace**
- **Strabisme** : le seul strabisme considéré comme physiologique est le strabisme intermittent du nourrisson de moins de 4 mois
- **Leucocorie** (pupille blanche) :
  - Première étiologie : cataracte congénitale
  - Doit toujours faire rechercher et **éliminer un rétinoblastome en urgence** 💣

- Autres causes : cataracte congénitale, persistance du vitré primitif, rétinopathie des prématurés (anciennement appelée fibroplasie rétrolentale)
- **Anisocorie** : asymétrie des pupilles
- **Nystagmus** ou torticolis
- **Troubles du comportement visuel** :
  - Absence de sourire réponse
  - Errance du regard
  - Incoordination oculaire
- Signe digito-oculaire de Francheschetti : l'enfant appuie sur ses globes oculaires pour provoquer des phosphènes par stimulation rétinienne

4 EXAMEN OPHTALMOLOGIQUE DE L'ENFANT

Lorsque l'examen initial met en évidence une anomalie, un examen ophtalmologique en milieu spécialisé est nécessaire.

Il comprend :
- Un examen clinique :
  - Interrogatoire des parents :
    × Date et circonstances de découverte
    × Antécédents familiaux de pathologies oculaires
    × Antécédents personnels : grossesse, infections materno-fœtales, prématurité
  - Inspection :
    × Morphologie des annexes et des yeux
    × Oculomotricité
    × Réflexe photomoteur
    × Comportement visuel
- La réalisation d'une réfraction objective au réfractomètre automatique sous cycloplégie (par cyclopentolate, atropine ou tropicamide) est toujours possible quelque soit l'âge
- Une évaluation de l'acuité visuelle selon la coopération de l'enfant :
  - De 0 à 3 mois :
    × Enregistrements électro-physiologiques : électrorétinogramme
    × Potentiels évoqués visuels

- De 3 à 24 mois :
  - × Tolérance à l'occlusion alternée des yeux : recherche d'amblyopie (recherche une réaction asymétrique de défense de l'enfant à l'occlusion d'un œil)
  - × Test du regard préférentiel par les cartons de Teller comportant un coté blanc uniforme et un coté rayé noir et blanc. Si la fixation est correcte l'enfant est attiré préférentiellement par le coté rayé
  - × Test à l'écran pour dépister un strabisme (cf item 333)
  - × Examen des reflets pupillaires
- Après 2 ans :
  - × Etude du comportement et du jeu
  - × Tests images : dessins de Rossano, test de Cadet
- Dès coopération de l'enfant vers 3-4 ans: Echelle de Parinaud et Monoyer réalisable avec des dessins
- Dès la naissance il est possible de réaliser une réfraction objective (au refractomètre automatique) pour obtenir la correction optique adaptée même chez le petit enfant
- Un examen sous anesthésie générale s'il existe des signes évocateurs d'une pathologie grave

 DOSSIERS TOMBES ET TOMBABLES

	ANNEE	CONTENU
DOSSIER TOMBE A L'ECN	2012	**Décrire le fond d'œil d'un enfant de 5 mois victime de maltraitance : hémorragies rétiniennes et maculaires**
	PROBABILITE	**CONTENU**
DOSSIER TOMBABLE	**+**	**Décrire l'examen obligatoire du 9ème ou 24ème mois avec recherche d'un strabisme et d'une amblyopie**

Définition : opacification du cristallin le plus souvent sénile

Signes fonctionnels : baisse de l'acuité visuelle de loin (myopie d'indice), progressive, bilatérale, asymétrique

Examen clinique : complet à la recherche d'autres causes de baisse de l'acuité visuelle associées, et pour éliminer une cause secondaire (traumatique, diabétique, héréditaire, post-corticothérapie)

Bilan pré-opératoire : biométrie, kératométrie, consultation d'anesthésie avec bilan préopératoire standard

Traitement : chirurgie si acuité visuelle ≤ 4/10ème et gêne socio-professionnelle, extraction extra-capsulaire du cristallin par phako-émulsification et mise en place d'un implant en chambre postérieure sous anesthésie locale

Complications chirurgicales : endophtalmie, décollement de rétine, œdème cornéen ou maculaire, cataracte secondaire par opacification capsulaire postérieure

1 DEFINITION

Opacification du cristallin le plus souvent liée à l'âge

Examen à la lampe à fente
Cataracte blanche

Iris

Cristallin opacifié

Conjonctive

2 DIAGNOSTIC CLINIQUE

Signes fonctionnels :

- **Baisse de l'acuité visuelle progressive, bilatérale mais asymétrique, de loin** initialement : **myopie d'indice** (acuité visuelle de près conservée)
- Photophobie, éblouissement
- Jaunissement des couleurs
- Diplopie monoculaire (rare)

Examen clinique bilatéral et comparatif :

- **Acuité visuelle** subjective et réfraction objective :
  - Guide la prise en charge thérapeutique
  - **Myopie d'indice** le plus souvent
- Lampe à fente avant et après dilatation pupillaire :
  - Diagnostic positif et type de cataracte :
    - × **Nucléaire** : Acuité visuelle de près initialement conservée
    - × **Sous-capsulaire postérieure :** attente précoce de l'acuité visuelle de loin et de près
    - × **Corticale :** AV conservée longtemps
    - × **Totale**
  - Recherche de pathologies associées ☛
- Fond d'œil au verre à 3 miroirs à la recherche de **pathologies associées** :
  - Rechercher une autre cause de baisse de l'acuité visuelle (notamment une pathologie rétinienne sous jacente)
  - Evaluer le gain d'acuité visuelle potentiel après la chirurgie
  - Informer le patient
- Tonus oculaire : Elimine un glaucome chronique qui devrait être traité avant toute opération
- Evaluer le retentissement ☛ : Guide la prise en charge

3 EXAMENS COMPLEMENTAIRES

Aucun pour le diagnostic positif qui est clinique, sauf en cas de :
- Cataracte blanche totale (échographie mode B : analyse du segment postérieur)
- Sujet jeune
- Signes évocateurs d'une cause secondaire, ou cataracte unilatérale
- Pathologie oculaire associée à explorer

Pré-opératoire pour calculer la puissance de l'implant **sur les 2 yeux** afin de rendre l'œil opéré le plus emmétrope possible ; réalisation de la **biométrie** ✒ de l'œil par :
- **Kératométrie** (évalue la courbure cornéenne) ✒
- **Mesure de la longueur axiale** (par l'échographie mode A) ✒

4 ETIOLOGIES

Sénile ✒ : Après 50 ans, cortico-nucléaire

Secondaire :
- **Traumatique :**
  - Contusive
  - Perforante : recherche d'un corps étranger passé inaperçu
- **Métabolique :**
  - **Diabète** (cataracte sous-capsulaire postérieure)
  - Hypoparathyroïdie
- **Pathologie oculaire :**
  - Forte myopie
  - Uvéites récidivantes
  - Décollement de rétine ou antécédent de chirurgie intraoculaire
  - Rétinite pigmentaire

Iatrogène : **corticothérapie** générale ou locale
Congénitale : embryo-fœtopathies (rubéole, toxoplasmose)
Génétique : trisomie 21, héréditaire

5 PRISE EN CHARGE THERAPEUTIQUE

Chirurgicale 🖙
Information orale et remise d'une **fiche d'information** au patient indiquant les modalités et les risques chirurgicaux 🖙
Après avoir informé le patient sur le résultat attendu en cas de pathologies oculaires associées

- Pas d'indications strictes mais personnalisées, le plus souvent :
  - **Acuité visuelle ≤ 5/10ème**
  - **Gêne socio-professionnelle**
- Bilan pré-opératoire :
  - Longueur axiale
  - Kératométrie
  - Consultation d'anesthésie avec bilan pré-opératoire
- **Chirurgie ambulatoire** sous anesthésie locale par collyres :
  - Après dilatation pupillaire maximale
  - **Extraction extra-capsulaire du cristallin par phakoémulsification**
  - Correction de l'aphakie par mise en place d'un **implant en chambre postérieure**

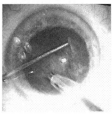 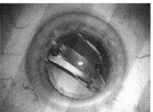

- Surveillance post-opératoire
- Education du patient sur les signes devant le conduire à reconsulter en urgence
- Traitement local 3 fois par jour pendant 1 mois :
  - Corticoïdes locaux + antibiotiques local
  - AINS local
- Consultation à J7 puis à 1 mois :
  - Surveillance
  - Prescription d'une correction de l'accommodation par lunettes

6 COMPLICATIONS

Per-opératoires :

- Rupture capsulaire postérieure (peut nécessiter une autre intervention pour mettre l'implant)
- Hémorragie expulsive dans les 24 premières heures :
  - Douleurs intenses dans le territoire du trijumeau et vomissements
  - Saignements intra et péri oculaire
  - Hypertonie oculaire

Post-opératoires immédiates :

- **Endophtalmie aiguë : urgence absolue** ☛
  - Signes fonctionnels :
    - × Œil rouge et douloureux
    - × Baisse brutale de l'acuité visuelle
  - Clinique :
    - × Inflammation : effet Tyndall, hypopion
    - × Hypertonie oculaire
    - × Fond d'œil : hyalite
  - Urgence
  - Diagnostic : ponction de vitré avec examen bactériologique
  - Thérapeutique :
    - × Antibiothérapie IV et collyres ☛
    - × Antibiothérapie intra-vitréenne large spectre ☛
    - × Corticoïdes locaux immédiats et généraux après 48h
    - × Mydriatiques
- Cornée :
  - Œdème de cornée
  - Fuite au niveau de l'incision cornéenne (hypotonie et signe de Seidel)
- Rétine :
  - Décollement de rétine
  - Oedème maculaire chronique

Post-opératoire tardif :

- Décentrement secondaire de l'implant

- Cataracte secondaire : opacification capsulaire postérieure, traitement par laser YAG (capsulotomie) en consultation

7 CATARACTE CONGENITALE

Signes fonctionnels :
- Leucocorie ☛*
- Conséquences à cours terme : strabisme, amblyopie
- Si malformations associées possible microphtalmie

Prise en charge :
- Recherche d'antécédents obstétricaux (infections materno-fœtales) et néo-nataux (prématurité)
- Examen :
  - Général : malformations ou pathologies associées
  - Ophtalmologique :
    × Réflexe photomoteur, poursuite oculaire
    × Recherche d'amblyopie par l'occlusion oculaire alternée
    × Recherche d'une chorio-rétinite associée au fond d'œil (oriente vers une infection materno-fœtale)
  - Toujours éliminer un rétinoblastome comme diagnostic différentiel ☛* : examen sous AG avec échographie mode B au moindre doute

Etiologies :
- Idiopathique
- Héréditaire
- Génétique : trisomie 21
- Secondaire :
  - Infection materno-fœtale : rubéole, toxoplasmose, syphilis
  - Prématurité
  - Syndrome de Silvermann : cataracte traumatique

Traitement : Chirurgie rapide dans les premières semaines de vie pour prévenir l'apparition d'une amblyopie sur l'œil concerné

	ANNEE	CONTENU
DOSSIER TOMBE A L'ECN	2004	Homme de 65 ans avec BAV sur rétinopathie hypertensive sévère chez un patient présentant des opacités corticales signes de cataracte
	PROBABILITE	**CONTENU**
DOSSIER TOMBABLE	+++	Baisse de l'acuité visuelle chez le sujet âgé secondaire à une cataracte sénile. Prise en charge ophtalmologique et globale
	+	Endophtalmie post-chirurgie de la cataracte

Notes personnelles

DEFICIT NEURO-SENSORIEL CHEZ LE SUJET AGE
DEGENERESCENCE MACULAIRE LIEE A L'AGE

- Diagnostiquer les maladies de la vision liées au vieillissement et en discuter la prise en charge thérapeutique, préventive et curative

60

Mod 5

 ~ X 0

Définition : maladie dégénérative chronique de la partie centrale de la rétine liée a l'âge

Formes : précoce (drüsen), atrophique, exsudative (néo-vaisseaux)

Signes fonctionnels : métamorphopsies, scotome central, baisse de l'acuité visuelle

Importance du dépistage par un examen bilatéral et comparatif avec réalisation d'un fond d'œil et d'une grille d'Amsler

Gravité de la forme exsudative liée à la présence de néovaisseaux choroïdiens responsables d'hemorragies sous rétiniennes et de décollements maculaires, pouvant provoquer des métamorphopsies et une baisse brutale de l'acuité visuelle.

Examens complémentaires : Angiographie à la fluorescéine, angiographie au vert d'indocyanine, et OCT

Prise en charge globale : Rééducation visuelle basse vision, soutien psychologique, association de malades, prise en charge des facteurs de risque cardio-vasculaire

Prise en charge ophtalmologique : vitaminothérapie, photocoagulation laser des néo-vaisseaux ou photothérapie dynamique

Auto-surveillance à vie par la grille d'Amsler et l'éducation du patient

Surveillance ophtalmologique régulière à vie des 2 yeux.

1 EPIDEMIOLOGIE ET PATHOLOGIES OCULAIRES LIEES A L'AGE

La DMLA est la 1ère cause de malvoyance en France après 50 ans

Les autres causes de baisse de l'acuité visuelle liées à l'âge sont :

Structures anatomiques	Pathologies oculaires liées à l'âge
Cornée	Dystrophies bulleuses (cornéa guttata)
Cristallin	Cataracte cortico-nucléaire
Rétine	DMLA OVCR et OACR Rétinopathie diabétique Décollement de rétine
Nerf optique	Glaucome chronique à angle ouvert NOIAA
Cerveau	Accident vasculaire cérébral

2 PHYSIOPATHOLOGIE DE LA DMLA

Maladie dégénérative de la partie centrale de la rétine par plusieurs mécanismes :
- Accumulation de dérivés métaboliques : drüsens
- Atrophie de l'épithélium pigmentaire
- Formation de néo-vaisseaux

3 CLINIQUE

Facteurs de risque :
- **Age ≥ 50 ans**
- Hérédité : antécédents familiaux de DMLA
- Tabagisme

Signes fonctionnels :
- Précoces :
  - Diminution de la sensibilité aux contrastes
  - Mauvaise adaptation à l'obscurité
  - Gène à la lecture
- Signes d'une DMLA compliquée :
  - **Métamorphopsies** ☞
  - **Baisse de l'acuité visuelle de loin et de près**
  - **Scotome central** (dans les stades évolués)

Examen ophtalmologique bilatéral et comparatif :
- Acuité visuelle
- Réalisation d'une **grille d'Amsler** : recherche d'un scotome central ou de métamorphopsies

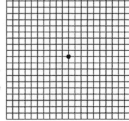

Grille d'Amsler normale

Scotome	Métamorphopsies
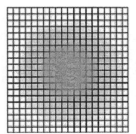	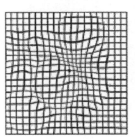

- **Fond d'œil** :
  - **Drüsens ☙ : MLA (Maculopathie liée à l'âge)**, précurseur de la DMLA
    - × Miliaires : petits, nombreux, bords nets, blancs jaunâtres
    - × Séreux : plus gros, polycycliques, irréguliers

FO de DMLA avec multiples drüsens

Drüsens ──────────────▶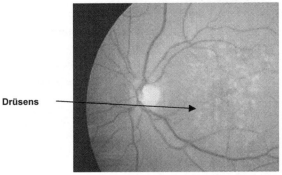

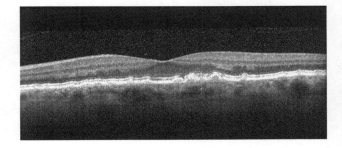

– Forme constituée = DMLA :
  × **DMLA atrophique** (vulgairement appelée « sèche »)
  × **DMLA exsudative néo-vasculaire** (« humide »)

4 EVOLUTION

Forme atrophique ou sèche :

- Plages d'atrophie de l'épithélium pigmentaire (zone rétinienne arrondie, plus pâle, vaisseaux choroïdiens sous-jacents visibles)
- Evolue vers l'extension des lésions
- Evolue lente vers une baisse l'acuité visuelle de près puis loin/près et vers l'apparition d'un **scotome central**

Forme exsudative ou néo-vasculaire :

- Développement de néo-vaisseaux choroïdiens sous la macula, aboutissant à un œdème maculaire (différents des néovaisseaux de la rétinopathie diabétique qui se développent devant la rétine dans le vitré)
- Evolution rapide responsable de **métamorphopsies et d'une baisse de l'acuité visuelle** ✎
- **Urgence diagnostique et thérapeutique** ✎
- **Mauvais pronostic** lié aux néovaisseaux qui se compliquent :
  – D'hémorragies sous rétiniennes
  – D'un œdème intra-rétinien maculaire
  – De décollements maculaires exsudatifs : séreux rétiniens et/ou de l'épithélium pigmentaire

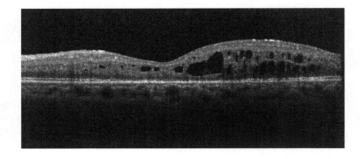

5 EXAMENS COMPLEMENTAIRES

OCT 💧 (tomographie en cohérence optique) devenu l'examen de routine le plus sensible de l'œdème maculaire :

- Mesure l'épaisseur rétinienne et quantifie l'œdème
- Visualise les décollements séreux rétinien ou de l'épithélium pigmentaire

Angiographie à la fluorescéine (moins réalisée depuis l'expansion de l'OCT mais très utile en cas de doute de néovascularisation) :

- Localise les drüsens et les plages d'atrophie de l'épithélium pigmentaire
- Visualise les néovaisseaux choroïdiens visibles, et l'œdème rétinien

Angiographie au vert d'indocyanine :

- Recherche les néovaisseaux choroïdiens "occultes"

6 THERAPEUTIQUE

Maladie chronique irréversible
Information et soutien du malade

Dans tous les cas :

- **Arrêt du tabac** 💧
- **Mesures d'accompagnement :**
  - **Rééducation visuelle basse vision** 💧
  - **Soutien psychologique**
  - **Association de malade**
  - **Aides visuelles** : systèmes grossissants

Prévention ou stade précoce :

- **Supplémentation vitaminique** et anti-oxydants 💧 (vitamines E et C, zinc, oméga 3, lutéine)
- Alimentation riche en acides gras polyinsaturés

Forme atrophique : Pas de traitement spécifique

- Rééducation basse vision
- Supplémentation vitaminique

Forme exsudative :
- **Injections intravitréennes d'anti-angiogéniques** 🖐️ : traitement anti- VEGF mensuel sous anesthésie topique en ambulatoire
  - Devenu le traitement de référence de la DMLA exsudative
  - AMM d'un seul anti-VEGF dans cette indication en 2012 : le Lucentis®
  - Traitement de référence mensuel mais a réévaluer selon la réponse au traitement et les rechutes

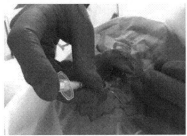

- Autres traitements devenus exceptionnels :
  - **Photo-coagulation au laser Argon**
  - **Photothérapie dynamique** : un produit photo-sensibilisant est perfusé en IV puis irradié au laser
- Rééducation basse vision
- Supplémentation vitaminique

Surveillance **à vie des 2 yeux** 🖐️ :
- Information du patient sur les signes d'alerte : consultation en urgence si baisse d'acuité visuelle brutale
- Education sur **l'utilisation quotidienne de la grille d'Amsler**
- Prévention de l'évolution sur l'œil controlatéral
- **Examen ophtalmologique 1 à 2 fois par an** sauf forme exsudative avec contrôle mensuel.

	PROBABILITE	CONTENU
DOSSIER TOMBABLE	+++	**DMLA compliquée d'une baisse de l'acuité visuelle chez un sujet âgé. Prise en charge globale et aides à mettre en place face au handicap.**

Notes personnelles

30% des patients atteints de sclérose en plaque entrent dans la maladie par une NORB
Tableau clinique : femme jeune, antécédents de troubles neurologiques régressifs, baisse rapide de l'acuité visuelle d'un œil associée à des douleurs rétro-orbitaires
Examen : œil blanc, baisse de l'acuité visuelle, fond d'œil normal, dyschromatopsie, signe de Marcus Gunn
Le champ visuel permet le diagnostic positif et retrouve un scotome central ou cæco-central
L'IRM cérébrale et du nerf optique ainsi que la PL permettent le diagnostic étiologique de SEP
La sclérose en plaque peut aussi être responsable d'une diplopie par atteinte d'un nerf oculomoteur ou par une ophtalmoplégie internucléaire
Prise en charge en urgence ❀ : bolus de corticoïdes IV

1 FORMES CLINIQUES

SEP : atteinte démyélinisante auto-immune du système nerveux central caractérisée par sa dissémination dans le temps et dans l'espace.

Neuropathie optique rétro-bulbaire ❀ :
- Définition : neuropathie optique inflammatoire démyélinisante en arrière de la papille
- Terrain : **femme jeune** entre 20 et 40 ans
- Rechercher des **antécédents de troubles neurologiques** spontanément régressifs
- Mode d'entrée dans la maladie dans 30% des cas

- Signes fonctionnels :
  - **Baisse rapide de l'acuité visuelle** unilatérale en quelques heures d'intensité variable
  - **Douleurs retro-orbitaires augmentées aux mouvements du globe oculaire**
  - Troubles de la vision des couleurs
  - Recherche d'**autres signes neurologiques** ❀

- Examen clinique :
  - Œil blanc et indolore
  - Acuité visuelle diminuée de loin et de près
  - **Fond d'œil normal** à la phase aiguë
  - Dyschromatopsie d'axe rouge-vert
  - **Signe de Marcus Gunn** 🖐 : lors de l'éclairement alternatif des 2 pupilles, la réponse du réflexe photomoteur direct est moins bonne que la réponse du réflexe consensuel

- Examens complémentaires pour le diagnostic positif de NORB :
  - **Champ visuel** 🖐 **: Scotome central ou cæco-central**
  - **Potentiels évoqués visuels** 🖐 : augmentation du temps de latence qui signe l'atteinte démyélinisante du nerf optique.

- Examens complémentaires pour le diagnostic étiologique de sclérose en plaques :
  - **IRM cérébrale avec coupes du nerf optique** 🖐 et IRM médullaire : nerf optique en hypersignal T2
  - Ponction lombaire avec électrophorèse du LCR : bandes oligo-clonales d'immunoglobulines

Diplopie binoculaire
- Atteinte isolée des nerfs oculomoteurs (III) ou du nerf moteur oculaire externe (VI)
- **Ophtalmoplégie internucléaire** 🖐 par atteinte le la bandelette longitudinale postérieure (reliant le noyau du III au noyau du VI) :
  - Pas de diplopie en position primaire (regard droit devant)
  - Limitation de l'adduction d'un œil
  - Nystagmus en abduction de l'autre œil
  - Convergence conservée

2 PRISE EN CHARGE DES POUSSEES

Hospitalisation rapide en service de neurologie 🖐

- **Corticothérapie** : Methylprednisolone (solumédrol®) IV 1g/jour pendant 3 jours ☞ (pas de relais du traitement PO car augmenterait le risque de récurrence)
- Surveillance ophtalmologique

Evolution :
- Régression en environ 3 mois avec récupération complète le plus souvent
- Risques de séquelles si récidives des épisodes de NORB
- Possible récurrences lors de l'augmentation de la température corporelle secondaire à la thermolabilité des axones démyélinisés : phénomène d'Uhtoff
- Risque de développer une SEP lors d'un premier épisode isolé de NORB : 30% à 5 ans

DOSSIERS	TOMBES	ET	TOMBABLES

	ANNEE	CONTENU
DOSSIER TOMBE A L'ECN	2006	Femme de 30 ans avec baisse de l'acuité visuelle rapide d'un œil et douleurs rétro-oculaires. Antécédent de diplopie spontanément régressive Cas de NORB sur sclérose en plaques
	PROBABILITE	CONTENU
DOSSIER TOMBABLE	+++	Mode de révélation d'une sclérose en plaques par une NORB chez une jeune femme
	+	Ophtalmoplégie internucléaire chez un patient atteint d'une sclérose en plaques connue

<u>Notes personnelles</u>

TRANSPLANTATION D'ORGANES : GREFFE DE CORNEE

127

Mod 8

- Expliquer les aspects épidémiologiques et les résultats des transplantations d'organe et l'organisation administrative
- Expliquer les modalités de don d'organe
- Argumenter les principes thérapeutiques, et les modalités de surveillance d'un sujet transplanté

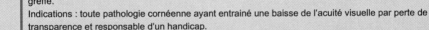

Greffe la plus fréquente des greffes de tissus et transplantations

Respect des règles de prélèvement et régulation par l'établissement francais des greffes

Le prélèvement de cornée ne necessite pas de maintien de la fonction hémodynamique ce qui permet une plus large population de donneurs décédés potentiels ; de plus la cornée avasculaire, sans lymphatique et avec peu de cellules est le tissu de choix pour limiter les risques de rejet de greffe.

Indications : toute pathologie cornéenne ayant entrainé une baisse de l'acuité visuelle par perte de transparence et responsable d'un handicap.

Nécessite un suivi ophtalmologique régulier et un traitement local prolongé

1 PRELEVEMENT

Acteurs du prélèvement :

- Etablissement et médecin préleveur
- Equipe de greffe de cornée
- Patient : inscrit sur la liste nationale d'attente de greffe de cornée coordonnée par **l'Etablissement français des greffes** via la Banque française des yeux
- Donneur :
  - Toute personne décédée
  - **Pas de nécessité de conservation de la fonction hémodynamique contrairement aux autres transplantations**
  - Toute personne décédée non opposée de son vivant après accord de la famille
  - Contre-indications :
    - × Locales : pathologies oculaires endommageant la cornée
    - × Générales : pathologies infectieuses sévères ou tumorales, ou décès sur maladie neurologique à risque de Creutzfeldt Jacob
  - **Bilan infectieux pré-transplantation : sérologies VIH 1 et 2, hépatite B et C, syphilis, et HTLV1**

Prélèvement chirurgical sous asepsie par un médecin préleveur:

- Prélèvement à cœur arrêté possible jusqu'à 20h post-mortem
- Excision in situ de la cornée et de la collerette sclérale
- Restauration du galbe de l'œil par la mise en place d'une prothèse en plastique
- Cornées conservées plusieurs jours en milieu de culture avant la greffe

2 INDICATIONS

Pathologies ayant entraîné une **diminution de la transparence ou de la régularité cornéenne** responsable d'une baisse de l'acuité visuelle :

- **Kératocône** : affection cornéenne débutant chez l'enfant ou l'adulte jeune entraînant un amincissement progressif de la cornée responsable d'un astigmatisme irrégulier puis d'opacités cornéennes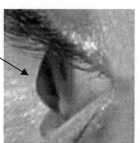
- **Cicatrice ou taie cornéenne** :
  - Post-infectieuse : herpès, abcès de cornée
  - Traumatique
  - Post-brûlure par base
- **Dystrophies bulleuses** (décompensations endothéliales) post-chirurgicales ou primitives

3 TECHNIQUES

Greffe sans urgence « à froid »
Deux principales techniques :
- Kératoplastie transfixiante : consiste à remplacer toute l'épaisseur de la cornée
- Kératoplastie lamellaire : ne remplace que la partie externe de la cornée, la partie interne restant en place

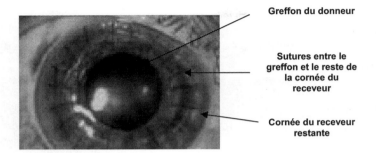

Greffon du donneur

Sutures entre le greffon et le reste de la cornée du receveur

Cornée du receveur restante

4 EVOLUTION

La cornée est avasculaire, sans lymphatique et pauvre en cellules, ce qui diminue les réactions immunologiques responsables de rejet de greffe

Bon pronostic de greffe avec un taux de succès entre 60 et 90% a 5 ans (selon les indications)

Complications :

- Rejet de greffe
- Décompensation du greffon
- Hypertonie oculaire
- Rupture traumatique des sutures
- Récidive de la maladie causale
- Astigmatisme post-opératoire

Nécessite un suivi ophtalmologique régulier et l'application d'un traitement de fond par corticoïdes locaux et/ou collyres immunosuppresseurs

	ANNEE	CONTENU
DOSSIER TOMBE A L'ECN	2008	**Pas d'ophtalmologie** **Conditions à réunir pour envisager un don d'organe sur donneur décédé**
	PROBABILITE	CONTENU
DOSSIER TOMBABLE	+	**Dossier peu tombable avec de l'ophtalmologie**

Notes personnelles

- Argumenter l'attitude thérapeutique et planifier le suivi du patient
- Décrire les principes de la prise en charge au long cours

L'hypertension arterielle chronique associée aux autres facteurs de risques cardio-vasculaire est responsable d'athérome et de remaniements vasculaires qui, au niveau de l'œil, peuvent être responsable d'une baisse de l'acuité visuelle par artériosclérose rétinienne, OACR, OVCR ou NOIAA.

L'hypertension arterielle aigue est, quant à elle, responsable d'une rétinopathie hypertensive aigue se manifestant par une baisse brutale de l'acuité visuelle réversible sous traitement anti-hypertenseur.

1 PATHOLOGIES OCULAIRES SECONDAIRES A L'HTA

Pathologies oculaires	Contexte
Rétinopathie hypertensive	Augmentation brutale et sévère de la pression artérielle
Artériosclérose rétinienne	Hypertension artérielle chronique responsable d'athérosclérose dans les artérioles rétiniennes
Occlusion artérielle rétinienne	Athérosclérose responsable de thrombus ou d'emboles dans l'artère centrale de la rétine
Occlusion veineuse rétinienne	Athérome touchant les veines rétiniennes
NOIAA	Ischémie de la tête du nerf optique par occlusion des artères ciliaires postérieures (branches de l'artère ophtalmique)

Rétinopathie hypertensive :

- Définition : rétinopathie hypertensive aiguë secondaire à l'augmentation brutale et sévère de la pression artérielle

- **Baisse de l'acuité visuelle, brutale et bilatérale secondaire à une poussée hypertensive maligne** aboutissant à une vasoconstriction des artérioles rétiniennes et une rupture de la barrière hémato-rétinienne, le plus souvent **réversible** après traitement

Artériosclérose rétinienne (ou « rétinopathie hypertensive chronique ») :

- Définition : artériosclérose secondaire à une hypertension artérielle chronique, responsable d'une vasoconstriction artérielle chronique aboutissant à des **modifications vasculaires irréversibles et asymptomatiques** (sauf au stade III lors de l'occlusion d'une branche veineuse).

Classification de Kirkendall (peu utile en pratique clinique)

Stade	Aigu	Chronique
I	Rétrécissement artériolaire diffus	Signe du croisement artério-veineux
II	Stade I + Occlusion artériolaire : - Hémorragies rétiniennes - Nodules cotonneux - Exsudats secs	Stade I + Rétrécissement artériolaire en regard
III	Stade II + Oedème papillaire	Stade II + Engainement vasculaire Occlusion d'une branche de la veine centrale de la rétine

	ANNEE	CONTENU
DOSSIER TOMBE A L'ECN	2004	Baisse brutale de l'acuité visuelle unilatérale lors d'un effort de toux chez un homme de 65 ans avec facteurs de risque cardiovasculaire Rétinopathie hypertensive chronique et rétinopathie diabétique proliférante compliquée d'une hémorragie intra-vitréenne
	2006	Rétinopathie diabétique et prise en charge des facteurs de risque cardio-vasculaire
DOSSIER TOMBABLE	PROBABILITE	CONTENU
	+++	Patient hypertendu chronique avec facteurs de risque cardio-vasculaire présentant une baisse brutale de l'acuité visuelle Principales étiologies à évoquer
	++	Poussée hypertensive maligne sur une hypertension artérielle secondaire, avec atteinte systémique et baisse brutale de l'acuité visuelle Prise en charge en urgence Causes d'hypertension artérielle secondaire

Notes personnelles

- Diagnostiquer une anomalie de la vision d'apparition brutale
- Identifier les situations d'urgence et planifier leur prise en charge

X 2

La baisse brutale de l'acuité visuelle sur un œil blanc et indolore est toujours secondaire à une atteinte du segment postérieur (ou du SNC): des vaisseaux, du nerf optique, de la rétine ou du vitré

L'évaluation du contexte, du terrain ainsi que l'examen clinique et les examens complémentaires orientés permettront un diagnostic positif

OACR : baisse de l'acuité visuelle, brutale, isolée avec mydriase aréflexique. Au fond d'œil : rétrecissement artériel, œdème rétinien, macula rouge cerise. Eliminer en urgence un maladie de Horton, une origine thrombotique ou embolique et bilan des facteurs de risques cardio-vasculaires.

OVCR : baisse variable de l'acuité visuelle. Au fond d'œil : œdème rétinien, veines tortueuses, hémorragies, nodules cotonneux. Rechercher les facteurs de risque cardio-vasculaire et une hypertonie oculaire. L'angiographie différencie la forme œdemateuse responsable d'un œdème maculaire cystoide et la forme ischémique responsable de néo-vaisseaux pouvant se compliquer d'un glaucome néo-vasculaire

NOIIA : deficit du champ visuel altitudinal et baisse de l'acuité visuelle brutale. Au fond d'œil : œdème papillaire et hémorragies. Eliminer en urgence un maladie de Horton, et bilan des facteurs de risque cardio-vasculaire

Décollement de rétine : myodesopsies, phosphènes puis baisse brutale de l'acuité visuelle. Origine rhegmatogène (sur myopie) ou tractionnelle (sur néo-vaisseaux). Diagnostic positif, topographique et pronostic au fond d'œil. Recherche bilatérale au fond d'œil à 3 miroirs de déchirures rétiniennes. Traitement chirurgical.

Hémorragie intra-vitréenne : examen de l'œil adelphe à la recherche d'une étiologie ; echographie mode B pour l'exploration du segment postérieur si non accessible.

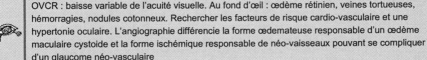

1 ORIENTATION DIAGNOSTIQUE

Interrogatoire :

- **Terrain :**
  - – Facteurs de risque cardio-vasculaire
  - – Antécédents personnels et familiaux
- Mode d'apparition
- **Signes fonctionnels** : œil rouge et/ou douloureux, baisse de l'acuité visuelle, myodésopsies, phosphènes, altération du champ visuel

Examen ophtalmologique :

- Bilatéral et symétrique
- Complet : acuité visuelle, lampe à fente, fond d'œil, tonus oculaire

Examens complémentaires selon orientation

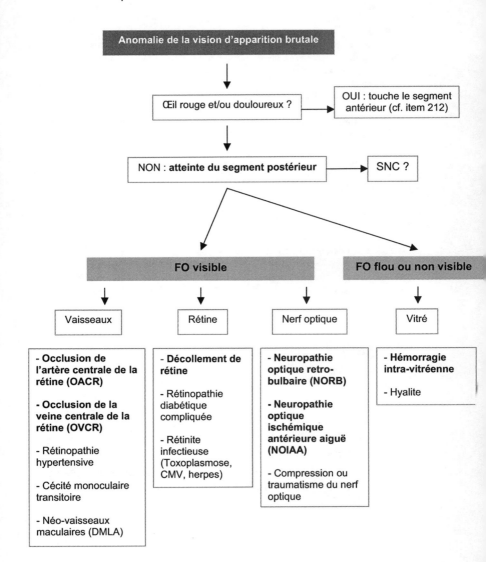

2 OCCLUSION DE L'ARTERE CENTRALE DE LA RETINE

Vascularisation de l'œil :

L'artère ophtalmique est une branche directe de la carotide interne, elle rentre dans l'orbite et se sépare en plusieurs branches :

- L'artère centrale de la rétine qui va vasculariser la rétine interne. Elle se divise en 2 branches supérieure et inférieure qui se divisent elles-mêmes en branches temporale et nasale
- Les artères ciliaires postérieures qui vont former la vascularisation choroïdienne et alimenter :
  - La tête du nerf optique
  - La rétine externe (épithélium pigmentaire et photorécepteurs)
  - La macula

La vascularisation est de type terminal sans anastomose possible. L'arrêt de la circulation dans un territoire entraîne des lésions ischémiques irréversibles en 1 à 2h.

Urgence diagnostique et thérapeutique 🖘

Signes fonctionnels : **Baisse de l'acuité visuelle brutale, unilatérale, totale, isolée**

Examen clinique :

- Acuité visuelle très basse
- Disparition du réflexe photomoteur direct avec **pupille en mydriase aréflexique**, réflexe consensuel conservé
- **Fond d'œil :**
  - **Rétrécissement artériel diffus**
  - **Territoire d'infarctus blanc et œdematié**
  - **Macula « rouge cerise »** (par persistance de la vascularisation choroïdienne)

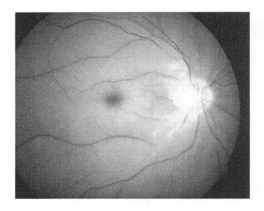

Examen complémentaire pour le diagnostic positif : **Angiographie à la fluorescéine**

- Confirme le diagnostic mais non indispensable en urgence
- Aspect d'arbre mort
- Parfois visualisation du thrombus
- Allongement du temps de remplissage bras-rétine

Etiologies :

- **Thromboses :**
  - **Maladie de Horton** 🩸
  - **Artériosclérose** 🩸 : principale cause
  - Artérite inflammatoire (Lupus érythémateux aigu disséminé) ou infectieuse (syphilis, herpes) exceptionnel
- **Emboles artériels** carotidiens ou cardiaques, dissection carotidienne
- **Troubles de la coagulation** et thrombophilie rare
- Spasme artériel

Les étiologies sont à rechercher selon l'âge du patient :

- Patient > 50 ans : artériosclérose par ordre de fréquence mais toujours éliminer une maladie de Horton
- Patient < 50 ans ou absence de facteur de risque cardio-vasculaire : rechercher absolument une origine emboligène

Bilan diagnostic en urgence 👁* :

- **VS/ CRP en urgence** pour éliminer une maladie de Horton
- NFS, plaquettes, TP-TCA
- **Bilan des facteurs de risque cardio-vasculaire** : glycémie, HbA1C, bilan d'exploration des anomalies lipidiques
- **Recherche d'une cause emboligène** : ECG, ETT et ETO, et écho-doppler des troncs supra-aortiques

Evolution :

- Mauvais pronostic, aucune récupération
- Baisse de l'acuité visuelle souvent irréversible

Traitement étiologique si étiologie retrouvée

- Si maladie de Horton :
  - **Corticothérapie IV en urgence** 👁*
  - Biopsie de l'artère temporale dans les 48 premières heures
- Si cardiopathie emboligène : anti-coagulation efficace

Traitement curatif en urgence, si sujet jeune en bon état général et OACR de moins de 6 heures :

- Aucun traitement n'a fait la preuve de son efficacité
- Traitements pouvant être utilisés, en l'absence de contre-indication :
  - Vasodilatateurs artériels
  - Hypotonisants oculaires : acétazolamide (Diamox®)
  - Ponction de l'humeur aqueuse en chambre antérieure

Prise en charge globale pluridisciplinaire :

- **Prévention d'autres accidents cardio-vasculaires** 👁*
- **Traitement étiologique**
- **Dépistage et traitement des facteurs de risque cardio-vasculaire**
- **Traitement anti-aggrégant** : Aspirine®
- **Surveillance à vie** 👁* :
  - Cardio-vasculaire : Mortalité élevée
  - Ophtalmologique : œil adelphe 👁* et œil atteint (risque de glaucome néo-vasculaire rare)
  - Neurologique

Occlusion d'une branche de l'artère centrale de la rétine :

- Forme à minima localisée dans un secteur de la rétine
- Baisse de l'acuité visuelle selon l'atteinte maculaire et amputation du champ visuel variable: valeur pronostique
- Mêmes étiologies que l'OACR sauf pas de maladie de Horton
- Meilleur pronostic visuel avec récupération possible de l'acuité visuelle, mais persistance le plus souvent de séquelles dans le champ visuel

3 OCCLUSION DE LA VEINE CENTRALE DE LA RETINE

Facteurs de risque :

- L'**âge > 60 ans**
- **Facteurs de risque cardio-vasculaire** 💣 et athérome
- **Hypertonie oculaire chronique** (glaucome chronique à angle ouvert)
- Troubles de la coagulation

Signes fonctionnels : **baisse de l'acuité visuelle rapide, variable, souvent incomplète**

Examen clinique :

- **Fond d'œil** fait le diagnostic 💣 :
  - **Veines dilatées et tortueuses**
  - **Hémorragies diffuses** superficielles en flammèches et profondes en taches
  - **Nodules cotonneux**
  - **Œdème papillaire** et/ou rétinien

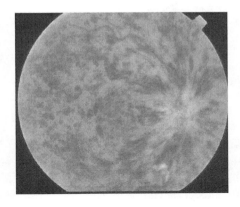

- Recherche de néo-vaisseaux dans l'angle irido-cornéen par la gonioscopie si forme chronique

Examen complémentaire : **Angiographie à la fluorescéine** 👁

- Fait le diagnostic de la forme clinique
- Retard circulatoire veineux
- Dilatations veineuses et hémorragies diffuses
- Distingue 2 formes :
  - Forme œdémateuse (80%) : œdème papillaire et maculaire, hémorragies en flammèches
  - Forme ischémique (20%) : plages d'ischémie rétinienne, hémorragies plus profondes en taches, nodules cotonneux

Evolution :

- **Forme œdémateuse** moins sévère avec une acuité visuelle > 2/10ème, persistance du réflexe photomoteur direct et un meilleur pronostic, peut évoluer vers :
  - Récupération visuelle en 3 à 6 mois
  - Transformation en forme ischémique (25%)
  - **Œdème maculaire cystoïde chronique** : baisse persistance de l'acuité visuelle
- **Forme ischémique** de plus mauvais pronostic avec une acuité visuelle < 1/20ème et diminution du réflexe photomoteur direct :
  - Pas de récupération visuelle
  - Œdème maculaire cystoïde chronique, maculopathie ischémique

- **Néo-vascularisation irienne (rubéose irienne) pouvant se compliquer d'un glaucome néo-vasculaire, d'apparition rapide et précoce dans les 3 premiers mois**
- Néo-vascularisation pré-rétinienne pouvant être responsable d'hémorragie intra-vitréenne (plus rare)

Etiologies :

- **Athérosclérose** 💣
- Hyperviscosité sanguine (vaquez, leucémie, lymphome, myélome)
- Thrombophilie chez le jeune
- Vascularites infectieuses et inflammatoires (exceptionnel)
- Locorégionale : compression extrinsèque (rare)

Bilan étiologique :

- **Bilan des facteurs de risque cardio-vasculaire**
- **Mesure du tonus oculaire**
- **Bilan d'hémostase: NFS** 💣
- VS, CRP
- EPP
- Bilan de thrombophilie selon le terrain (<50 ans ou absence de facteur de risque cardiovasculaire ou OVCR bilatérale)

Prise en charge :

- **Prise en charge des facteurs de risque cardio-vasculaire** 💣
- **Traitement d'une hypertonie oculaire**
- Traitements médicaux à envisager :
  - Traitement anti-agrégant
  - Hémodilution iso-volémique visant à abaisser l'hématocrite
- **Prévention des néo-vaisseaux par photocoagulation pan rétinienne** dans la forme ischémique, ou dans la forme déjà compliquée de rubéose irienne
- Traitement de l'œdème maculaire cystoïde chronique par photocoagulation maculaire localisée
- Depuis 2012 : AMM d'un dispositif intravitréen à libération prolongée de corticoïdes dans cette indication d'œdème maculaire post-OVCR (Ozurdex®)

- **Surveillance clinique** régulière ✒ tous les mois pendant 3 mois (face au risque de glaucome néovasculaire) puis plus espacée

Occlusion d'une branche veineuse rétinienne :

- Contexte : occlusion qui survient le plus souvent à un croisement **artério-veineux chez un patient présentant de l'artériosclérose**

  L'artériole et la veine partagent une gaine commune ; l'artériosclérose peut, à un stade évolué, provoquer un écrasement et une occlusion de la branche veineuse qui l'accompagne.
- Le fond d'œil est semblable à celui de l'OVCR mais seulement dans le secteur concerné
- Pronostic visuel variable selon l'atteinte ou non de la macula
- Meilleur pronostic, reperméabilisation fréquente de la veine ou développement d'une circulation de suppléance
- Mais le risque d'œdème maculaire et de néovaisseaux existe aussi

4 CECITE MONOCULAIRE TRANSITOIRE

Accident vasculaire ischémique transitoire réversible en quelques minutes intéressant le territoire de l'artère ophtalmique (branche de la carotide interne)

Signes fonctionnels : baisse de l'acuité visuelle brutale, totale, unilatérale et réversible

L'examen ophtalmologique est normal à distance

Urgence neurologique ✒ car risque d'OACR ou d'AVC constitué:

- Hospitalisation en urgence en neurologie
- Examen clinique et imagerie à la **recherche d'un accident vasculaire cérébral ischémique constitué**
- Bilan cardio-vasculaire en urgence avec recherche d'une origine embolique

5 RETINOPATHIE HYPERTENSIVE (cf. item 130)

Baisse de l'acuité visuelle, brutale et bilatérale secondaire à une poussée hypertensive maligne aboutissant à une vasoconstriction des artérioles rétiniennes et une rupture le la barrière hémato-rétinienne, le plus souvent réversible.

A différentier de l'artériosclérose secondaire à une hypertension artérielle chronique

6 NEUROPATHIE OPTIQUE RETRO-BULBAIRE (cf. item 125)

Définition : inflammation du nerf optique en arrière de la papille

Signes fonctionnels :
- Baisse rapide de l'acuité visuelle indolore en quelques heures
- Douleur lors des mouvements oculaires

Examen clinique :
- Signe de Marcus Gunn
- Fond d'œil normal
- Dyschromatopsie

Examen complémentaire : champs visuel
- **Scotome central ou cæco-central**

Etiologies :
- **Sclérose en plaques** ✒ (cf. item 125)
- **Intoxication alcoolo-tabagique**
- **Iatrogène** : éthambutol
- Infection : maladie de Lyme, syphilis

7 NEUROPATHIE OPTIQUE ISCHEMIQUE ANTERIEURE AIGUE

Définition : ischémie aiguë de la tête du nerf optique par occlusion des artères ciliaires postérieures (branches de l'artère ophtalmique)

Urgence : éliminer une maladie de Horton 💣

Signes fonctionnels :

- **Voile noir altitudinal brutal, indolore, unilatéral**
- Parfois antécédents d'épisodes d'amaurose fugace

Examen clinique, fait le diagnostic :

- Baisse de l'acuité visuelle variable
- Réflexe photomoteur direct diminué ou aboli (consensuel conservé)
- Fond d'œil :
  - **Papille œdématiée initialement puis pâleur papillaire totale ou dans un secteur apparaissant à distance**
  - **Hémorragies superficielles en flammèches** en regard de la zone œdématiée
  - L'HTIC est le principal diagnostic différentiel face au fond d'œil mais dans l'HTIC : pas de baisse de l'acuité visuelle (le plus souvent), œdème papillaire bilatéral, papille bien colorée et moins d'hémorragies

Examens complémentaires :

- **Champ visuel : scotome altitudinal horizontal** 💣 (atteinte du CV inférieur le plus souvent)
- **Angiographie à la fluorescéine :**
  - Confirme l'œdème papillaire
  - Peut mettre en évidence des signes d'ischémie choroïdienne en faveur d'une origine artéritique de la NOIA

Evolution :

- Résorption de l'œdème papillaire en 6 à 8 semaines, qui évolue vers une atrophie
- mauvais pronostic visuel, récupération variable
- Risque de bilatéralisation 5%

Etiologies :

- **Maladie de Horton** (ou neuropathie optique artéritique) :
  - **Urgence** 💣
  - Recherche clinique d'autres signes de la maladie

- **VS et CRP en urgence**
- Prise en charge : **Corticothérapie IV en bolus en urgence** pour prévenir la bilatéralisation
- Biopsie de l'artère temporale à prévoir dans les 48 premières heures (artérite giganto-cellulaire)
- **Artériosclérose** (ou neuropathie optique non artéritique) :
  - Cause la plus fréquente associée aux facteurs de risque cardiovasculaire
  - Bilan et correction des facteurs de risque cardio-vasculaire
  - Peut motiver l'introduction d'un anti-aggrégant plaquettaire au long cours

8 DECOLLEMENT DE RETINE

Définition : perte de contact entre l'épithélium pigmentaire et le neuro-épithélium rétinien secondaire à une déchirure de la rétine et passage de fluide sous la rétine

Urgence diagnostique et chirurgicale 🖎

Terrain des décollements de rétine rhegmatogènes :
- Myopie forte
- Personnes âgées
- Antécédents familiaux et personnels de décollement de rétine
- Zones de fragilités rétiniennes connues au fond d'œil
- Post opératoires de la cataracte, patients aphakes ou pseudo-phakes

Signes fonctionnels :
- Prodromes :
  - **Myodésopsies** par décollement postérieur du vitré ou hémorragie intravitréenne minime
  - **Phosphènes** secondaires aux tractions du vitré sur la rétine
- **Amputation du champ visuel ou baisse brutale de l'acuité visuelle, unilatérale, indolore** : décollement constitué

Examen clinique :
- Interrogatoire :

- Recherche un **facteur déclenchant**, traumatisme
- Facteurs de risque et symptômes sur l'œil adelphe
- Œil blanc et indolore
- Lampe à fente : lueur pupillaire grisâtre
- **Fond d'œil au verre à 3 miroirs** après dilatation pupillaire :
  - **Bilatéral** ✦* : recherche de lésions controlatérales prédisposantes
  - Résultats consignés sur un **schéma daté et signé**
  - **Diagnostic positif** : rétine soulevée plus grisâtre et mobile
  - **Topographie, aspect et extension**
  - **Pronostic** ✦* : limites du décollement par rapport à la macula
  - **Diagnostic étiologique** : recherche d'une prolifération vitréo-rétinienne, de déhiscences rétiniennes

Examens complémentaires :
- Bilan préopératoire standard
- Echographie mode B si hémorragie intra-vitréenne rendant le fond d'œil inaccessible

Etiologies du décollement de rétine :
- **Rhegmatogène** ou idiopathique ✦* sur déhiscence rétinienne
  - Facteurs de risque : l'âge, la myopie forte >-6D, le post-opératoire de cataracte
- **Tractionnel** sur néo-vaisseaux ou prolifération vitréo-rétinienne :
  - Rétinopathie diabétique proliférative
  - Hemoglobinopathies (drépanocytose) rare
- **Exsudatif :**
  - Tumoral
  - Inflammatoire (uvéite postérieure)
  - Infectieux (toxoplasmose)

Prévention ✦* :
- **Fond d'œil annuel** des patients avec facteurs de risque
- Education sur les signes fonctionnels devant amener le patient à reconsulter en urgence

- **Photocoagulation au laser Argon des lésions prédisposantes**

Traitement curatif chirurgical en urgence :
- Hospitalisation en ophtalmologie, à jeun
- Patient prévenu de risques opératoires et du pronostic visuel réservé
- **Positionnement du patient** selon la zone de soulèvement rétinien afin de diminuer la traction exercée
- Chirurgie sous AG : pour les décollements rhegmatogènes :
  - **Repérer et obturer les déhiscences**
  - Rétinopexie : cicatrisation de la rétine autour des déhiscences
  - Indentation sclérale externe en regard de la déhiscence

Surveillance à vie de l'œil atteint et de l'œil adelphe ✒

9 RETINITE INFECTIEUSE : TOXOPLASMOSE OCULAIRE

Cause la plus fréquente de foyer infectieux rétinien
Baisse de l'acuité visuelle secondaire à un foyer de chorio-rétinite infectieux,
Signes fonctionnels :
- Myodésopsies
- Baisse de l'acuité visuelle si foyer proche de la macula

Fond d'œil :
- Foyers blanchâtres chorio-rétiniens
- Hyalite
- Cicatrices atrophiques (signent la présence d'anciens foyers cicatrisés de façon spontanée)

Peut aussi être révélée par une uvéite antérieure aigue
Traitement général anti-toxoplasmique

Foyer chorio-rétinien nasal à coté d'une cicatrice pigmentée

10 **RETINOPATHIE DIABETIQUE** (cf. item 233)

La rétinopathie diabétique peut être responsable, par les complications qu'elle entraîne, d'une baisse plus ou moins brutale de l'acuité visuelle

Physiopathologie :

- L'ischémie rétinienne chronique est responsable de l'apparition de la rétinopathie diabétique
- Les zones ischémiques produisent un facteur angiogénique le VEGF
- Le VEGF entraîne l'apparition de néo-vaisseaux

Au stade de rétinopathie diabétique proliférante les néo-vaisseaux peuvent se compliquer de :

- **Hémorragie intra-vitréenne**
- **Décollement de rétine tractionnel**
- **Glaucome néo-vasculaire** secondaire à l'envahissement de l'angle irido-cornéen par les néo-vaisseaux

Prise en charge :

- **Equilibre glycémique strict** &°
- **Equilibre tensionnel** : objectif TA<130/80 mmHg
- Photocoagulation pan rétinienne au laser Argon dès le stade de rétinopathie diabétique non proliférante sévère
- Traitement chirurgical des complications

11 **HEMORRAGIE INTRA-VITREENNE**

Contexte :

- Rétinopathie diabétique proliférante, OVCR
- Traumatisme ou chirurgie oculaire
- Antécédent de décollement de rétine

Signes fonctionnels :

- **Baisse brutale de l'acuité visuelle unilatérale variable** selon l'abondance de l'hémorragie parfois précédée d'une impression de « pluie de suie »
- Lueur pupillaire rosée

Examen clinique :

- Examen du vitré après dilatation pupillaire : apparaît rouge
- **Fond d'œil** si persistance d'une visibilité : Recherche de néo-vaisseaux, déchirure ou décollement de rétine
- **Examen de l'œil adelphe** ☛ : Pathologie sous-jacente, néo-vaisseaux, déhiscences rétiniennes

Examens complémentaires :

- **Echographie oculaire mode B** si fond d'œil impossible, à la recherche d'un décollement de rétine ou de déhiscences rétiniennes
- Si notion de traumatisme toujours éliminer un corps étranger intra-oculaire

Etiologies :

- **Décollement de rétine ou déchirure rétinienne**
- Néo-vaisseaux :
  - **Rétinopathie diabétique proliférante** compliquée
  - **OVCR** ischémique
- **Traumatisme oculaire** avec ou sans corps étranger
- Chirurgie oculaire
- Syndrome de Terson : hémorragie intra-vitréenne associée à une hémorragie méningée, secondaire à la rupture d'un anévrisme intracrânien

Prise en charge :

- Traitement étiologique
- Si l'échographie mode B et le FO ne révèlent aucune anomalie :
  - **Surveillance simple** pendant 3 mois
  - L'hémorragie se résorbe le plus souvent spontanément
- Si persistance de l'hémorragie à 3 mois ou si corps étranger intraoculaire ou décollement de rétine associé
  - Traitement chirurgical : **vitrectomie**

12 HYALITE

Définition : inflammation du vitré
Signes fonctionnels :
- Baisse de l'acuité visuelle rapide
- Myodésopsies

Fond d'œil : cellules inflammatoires dans le vitré
Etiologies :
- Uvéites postérieures (toxoplasmose, sarcoïdose, syphilis, tuberculose)
- Uvéites intermédiaires (idiopathiques, sarcoïdose, SEP)

13 ANOMALIES TRANSITOIRES

- Cécité monoculaire transitoire (cf. ci-dessus)
- Insuffisance vertébro-basilaire : amaurose transitoire bilatérale
- Eclipses visuelles aux changements de position signes d'HTIC
- Scotomes scintillants précédant les migraines avec aura ophtalmique (parfois isolés non suivis de céphalées)

DOSSIERS TOMBES ET TOMBABLES

	ANNEE	CONTENU
DOSSIER TOMBE A L'ECN	2004	Rétinopathie diabétique proliférante compliquée d'une hémorragie intravitréenne
	2006	NORB sur sclérose en plaques
	PROBABILITE	**CONTENU**
DOSSIER TOMBABLE	+++	NORB sur sclérose en plaques
	+++	NOIAA ou OACR sur maladie de Horton ou chez un patient poly-vasculaire
	++	Décollement de rétine tractionnel sur rétinopathie diabétique proliférante

Notes personnelles

64

Tout patient ayant subi un traumatisme oculaire doit avoir un examen ophtalmologique complet bilatéral et comparatif et un examen neurologique pour éliminer un traumatisme cranien.
Examen consigné sur un schéma daté et signé, et rédaction d'un certificat médical initial descriptif.
Vérification du statut anti-tétanique.
Education du patient sur la prévention des récidives
Contusion oculaire
Corps étranger superficiel : retourner systématiquement la paupière supérieure
Plaie transfixiante avec ou sans corps étranger : chirurgie en urgence sous AG pour exploration du globe, extraction des corps étrangers et sutures
Brulures oculaires : gravité des brulures par bases. Pronostic selon la précocité et la qualité du rincage, la sensibilité et la désépithélialisation cornéenne, et l'ischémie limbique. Prise en charge en urgence par rincage abondant d'au moins 15 minutes puis traitement en centre spécialisé.

1 GENERALITES

Les urgences ophtalmologiques traumatiques regroupent :

- Les contusions oculaires
- Les plaies du globe avec ou sans corps étranger intra-oculaire
- Les brûlures

Tout patient ayant subi un traumatisme oculaire doit avoir un examen ophtalmologique complet bilatéral et comparatif et un examen neurologique pour éliminer un traumatisme crânien

L'interrogatoire précise :

- L'age et les antécédents en particulier ophtalmologiques
- Le mécanisme du traumatisme et la possibilité d'un corps étranger
- **Les circonstances : accident de travail, agression**
- La date et l'heure
- **Le statut vaccinal anti-tétanique**
- Les signes fonctionnels

L'examen clinique complet :

- **Examen du cadre orbitaire** osseux par palpation des reliefs
- **Examen de la sensibilité de la face** notamment la sensibilité de la paupière inférieure et de la joue supérieure (nerf sous orbitaire V2)
- **Examen des annexes** : recherche d'une plaie du bord libre des paupières ou du canal lacrymal
- En cas de suspicion de corps étranger : **retourner le bord libre de la paupière supérieure**

- **Oculomotricité** : recherche une lésion musculaire ou neurologique
- **Réflexe photomoteur**
- **Réfraction objective et acuité visuelle subjective : valeur médico-légale**
- **Lampe à fente avec test à la fluorescéine :**
  - Lésion cornéenne **fluorescéine** positive
  - Recherche un signe de **Seidel** présent en cas de plaie transfixiante
- **Fond d'œil** à la recherche de lésions rétiniennes (mais verre à 3 miroirs contre-indiqué si plaie du globe)
- Prise du tonus oculaire :
  - Par tonomètre à air
  - **Tonomètre à aplanation contre-indiqué** en cas de suspicion de plaie oculaire transfixiante

Examen consigné sur un schéma daté et signé ✒
Rédaction d'un certificat médical initial descriptif ✒

Examens complémentaires :

- **Radiographies** de l'orbite de face, profil et incidence de Blondeau :
  - Eliminer un corps étranger métallique intra-oculaire

- Recherche une fracture du cadre orbitaire
- **Scanner orbitaire** :
  - Recherche d'un corps étranger
  - Précise une fracture du cadre orbitaire ou du plancher de l'orbite
- **Echographie mode B** : en cas de contusion ayant entraîné une hémorragie intra-vitréenne rendant le fond d'œil impossible

Attention sont contre-indiqués :
- IRM : risque de mobiliser un corps étranger intraoculaire métallique
- Echographie oculaire mode B : en cas de plaie du globe transfixiante

Prévention des récidives ☀ : **éducation du patient sur les mesures de protection oculaire** (lunettes de protection) principalement en cas d'accident du travail.

2 CONTUSIONS OCULAIRES

Contexte :
- Traumatisme par une balle de tennis ou de squash
- Coup de poing

Conséquences :

Structures anatomiques	Conséquences du traumatisme
Annexes	- Hématome de la paupière - Section de la voie lacrymale
Muscles	- Diplopie binoculaire par incarcération du muscle droit inférieur lors d'une fracture du plancher de l'orbite
Conjonctive	- Hémorragie sous-conjonctivale
Cornée	- Erosion ou ulcération superficielle - Œdème de cornée

Chambre antérieure	- Hyphéma
Tonus oculaire	- Hypertonie oculaire (secondaire à des lésions de l'angle irido-cornéen)
Iris	- Rupture du sphincter de l'iris - Iridodialyse (désinsertion de la base de l'iris) - Mydriase post-traumatique
Cristallin	- Sub-luxation ou luxation dans le vitré - Cataracte post-traumatique (tardive)
Angle irido-cornéen	- Recul de l'angle
Macula	- Œdème rétinien (ou œdème de Berlin)
Vitré	- Hémorragie intra-vitréenne
Rétine	- Déchirure rétinienne post-contusive - Décollement rétinien - Rupture de la choroïde
Nerf optique	- Sidération ou contusion

Prise en charge :
- Spécifique en fonction des conséquences du traumatisme
- Corticothérapie orale possible
- Prise en charge chirurgicale spécifique
- **Information du patient sur les signes devant l'amener à reconsulter en urgence** 👁 : baisse de l'acuité visuelle, phosphènes, douleurs oculaires
- Surveillance rapprochée à 48h puis régulière si traumatisme grave
- Consultation de contrôle à 1 mois avec fond d'œil au verre à 3 miroirs à la recherche de lésions rétiniennes
- Surveillance au long cours pour dépister les complications tardives : cataracte traumatique, glaucome post-traumatique

3 CORPS ETRANGERS OCULAIRES SUPERFICIELS

Contexte : projection d'un éclat de soudure ou de métal

Signes fonctionnels :

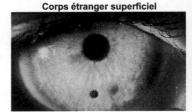

Corps étranger superficiel

- Douleur oculaire, larmoiement
- Rougeur oculaire
- Blépharospasme

Conséquences :
- Conjonctivite
- Kératite superficielle
- Ulcère cornéen superficiel

Examen à la lampe à fente :
- **Fluorescéine positive/signe de Seidel négatif**
- Recherche du corps étranger :
  - A la surface de la cornée
  - Sous la paupière supérieure :
    - × **Retourner systématiquement la paupière supérieure**
    - × **Recherche de corps étrangers** multiples

Prise en charge :
- Ablation du corps étranger à l'aiguille sous anesthésie locale
- Collyres antibiotiques et cicatrisants
- Occlusion par cache oculaire 24 à 48h
- **Vérification du statut antitétanique** 💣
- Consultation de contrôle à 48h

4 PLAIES DU GLOBE TRANSFIXIANTES AVEC OU SANS CORPS ETRANGER

Contexte : projection violente

Examen clinique :
- Plaie cornéenne ou sclérale transfixiante

- **Signe de Seidel positif**
- Lésions associées possibles :
  - Plaie palpébrale transfixiante
  - Hyphéma
  - Hernie irienne ou déformation de la pupille
  - Hémorragie intra-vitrénne
- Tonus oculaire :
  - Par tonomètre à air : hypotonie oculaire
  - **Le tonomètre à aplanation est contre-indiqué**
- Fond d'œil :
  - Recherche un corps étranger vitréen ou rétinien, une déchirure ou un décollement de rétine
  - **Le verre à 3 miroirs est contre-indiqué** en cas de plaie du globe

Prise en charge :
- **Urgence** 💣
- Adressé à un **centre spécialisé**
- Hospitalisation à jeun
- Examens complémentaires :
  - Radiographies, scanner et échographie mode B
  - **IRM contre-indiquée** 💣
- Voie veineuse périphérique : **bi-antibiothérapie IV à bonne pénétration oculaire** et antalgiques
- **Chirurgie en urgence :**
  - **Exploration du globe sous anesthésie générale**
  - **Suture** de la plaie
  - **Extraction des corps étrangers** parfois réalisé dans un second temps
- **Contrôle du statut vaccinal anti-tétanique**

Complications :
- Immédiates : **endophtalmie**
- Secondaires :
  - **Décollement de rétine**
  - **Cataracte traumatique**
  - **Cicatrice cornéenne**

- Glaucome
- Ophtalmie sympathique (uvéite auto-immune sévère de l'œil controlatéral) très à distance, rare
- Sidérose ou chalcose si corps étranger ferrique ou cuivré

Surveillance rapprochée en hospitalisation puis en ambulatoire

5 BRULURES OCULAIRES

Contexte :
- Accident du travail (souvent brûlures par bases)
- Accident domestique
- Agression (bombes lacrymogènes acides)

Types de brûlures :
- **Thermique :**
  - Souvent **superficielle**, simple désépithélialisation
  - Cicatrise en quelques jours sans séquelles
- **Chimique :**
  - **Acide** : lésions d'emblée maximales et **superficielles**, pas de progression
  - **Base** : brûlures les plus **dangereuses car progressent à travers les tissus jusqu'à 48 h après l'exposition**
- **Photo-traumatique par UV :**
  - Coup d'arc : soudure à l'arc électrique sans lunettes de protection responsable d'une kératite ponctuée superficielle
  - Exposition solaire sans protection (ophtalmie des neiges) : brûlure superficielle, bénigne

Pronostic :
- **Précocité et qualité du rinçage** ✒
- **Type de produit (bases plus graves)** ✒
- Clinique :
  - **Anesthésie cornéenne**
  - **Désépithélialisation cornéenne** : étendue de la zone fluorescéine positive
  - **Opacités cornéennes**

– **Ischémie limbique** : bon pronostic si œil rouge avec vaisseaux hyperhémiés /mauvais pronostic si œil blanc sans vaisseaux

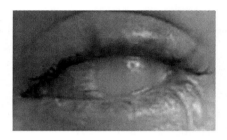

La classification pronostique la plus utilisée étant celle de Roper-Hall de 1 à 4

Principes de prise en charge : **URGENCE**

- **Rinçage abondant au sérum physiologique ou à l'eau en urgence pendant au moins 15 minutes** 👌
- Mesure du pH oculaire à l'aide de bandelettes réactives
- Transfert en centre spécialisé
- Examen complet sous collyre anesthésique après test de la sensibilité cornéenne
- Lavage et sondage des voies lacrymales
- Traitement :
  - Collyres antibiotiques
  - Cycloplégique local : atropine
  - Cicatrisant : pommade à la vitamine A (sauf dans les brulures par bases)
  - Collyres corticoïdes à but anti-inflammatoire précoce
  - Occlusion palpébrale
- Vérification du statut anti-tétanique
- Surveillance rapprochée
- Si besoin chirurgie de recouvrement cornéen en urgence par greffe de membrane amniotique suturée à la conjonctive.
- A distance, traitement chirurgical des séquelles palpébrales, conjonctivales ou cornéennes

Complications des brulures sévères :

- Paupières : ectropion, entropion
- Voies lacrymales : obstruction responsable d'un larmoiement chronique
- Conjonctive : fibrose, synéchies (symblépharons)
- Cornée : syndrome sec, taie cornéenne
- Angle irido-cornéen : glaucome secondaire aux synéchies
- Cristallin : cataracte

6 TRAUMATISME DES ANNEXES

3 urgences à éliminer devant une plaie de paupière :

- **Plaie du globe sous-jacente** avec ou non, corps étranger intraoculaire
- **Pénétration de la plaie au-delà du septum orbitaire** (qui protège l'arrière du globe) : risque de cellulite infectieuse
- **Plaies des voies lacrymales** (canthus interne) : nécessite une chirurgie sous AG avec sondage et suture des voies lacrymales. Risque à moyen terme : dacryocystite aigue (infection du sac lacrymal)

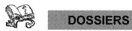

	ANNEE	CONTENU
DOSSIER TOMBE A L'ECN	2008	Polytraumatisé avec fracas facial Examen général et ophtalmologique en particulier
	2010	Plaie par morsure du canthus interne avec plaie des voies lacrymales. Décrire l'examen et la prise en charge ophtalmologique. Complication avec dacryocystite aigue secondaire
	PROBABILITE	**CONTENU**
DOSSIER TOMBABLE	++	Fracture du plancher de l'orbite avec incarcération du muscle droit inférieur
	+	Examen ophtalmologique systématique dans le cas d'un traumatisme crânien ou facial
	+	Prise en charge d'un brûlé avec atteinte oculaire

Sans baisse de l'acuité visuelle :
- Hémorragie sous-conjonctivale : éliminer un traumatisme, une prise d'anticoagulants et une HTA
- Conjonctivite : bactérienne, virale ou allergique
- Episclérite, sclérite : rechercher une étiologie systémique

Avec baisse de l'acuité visuelle :
- Glaucome aigu par fermeture de l'angle : hypertonie oculaire, œdème cornéen, cercle périkératique, semi-mydriase aréflexique avec un angle irido-cornéen fermé. Examen de l'œil adelphe à la recherche de facteurs anatomiques favorisants. Traitement en urgence par hypotonisants locaux et généraux, collyres myotiques puis traitement chirurgical.
- Uvéite antérieure : douleurs, larmoiement, photophobie. A l'examen précipités rétro-cornéens, effet tyndall, synéchies. Eliminer une uvéite postérieure au fond d'œil. Rechercher une étiologie générale principalement spondylarthropathie.
- Kératite : test à la fluorescéine positif. Toujours éliminer une kératite herpétique avec ulcération dendritique qui contre indique l'utilisation des corticoïdes.
- Glaucome néo-vasculaire avec rubéose irienne
- Traumatisme oculaire
- Endophtalmie : urgence absolue. Prélèvements bactériologiques ; antibiothérapie IV et intraoculaire et corticoïdes locaux et généraux

1 ORIENTATION DIAGNOSTIQUE

Un œil rouge et/ou douloureux implique l'atteinte du segment antérieur (en avant du cristallin)

Interrogatoire :

- **Traumatisme** 🖎
- Antécédents ophtalmologiques et généraux, terrain, port de lentilles
- Histoire de la maladie, mode de survenue, évolution
- Type de douleur : superficielles (conjonctivite, kératite) ou profondes (uvéite, glaucome aigu, sclérite)
- Signes associés :
  - Baisse de l'acuité visuelle : signe de gravité
  - Prurit, larmoiement

- Photophobie, blépharospasme
- Céphalées

Examen clinique bilatéral et comparatif :

- Recherche systématique de corps étrangers si notion de traumatisme
- Acuité visuelle subjective de près et de loin
- Lampe à fente :
  - Annexes : blépharite, dacryocystite, corps étranger sous palpébral
  - Conjonctive : plaie, rougeur localisée/diffuse, **cercle perikératique** au limbe
  - **Cornée : Test à la fluorescéine** 🖐 à la recherche d'une plaie de cornée (Signe de Seidel positif si plaie perforante)
  - Chambre antérieure : profondeur, réaction inflammatoire (tyndall, hypopion)
  - Iris : Réflexe photomoteur, rubéose irienne, synéchies
- Oculomotricité
- Tonus oculaire 🖐
- Fond d'œil après dilatation pupillaire

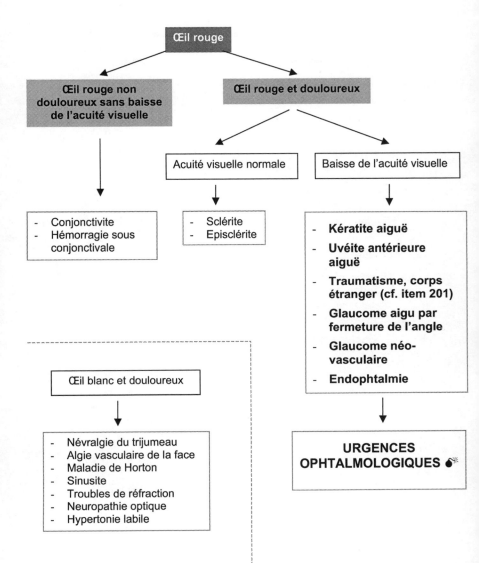

2 ŒIL ROUGE, INDOLORE + ACUITE VISUELLE NORMALE

Hémorragie sous conjonctivale :
- Rougeur conjonctivale spontanée superficielle en nappe
- Pas de signes associés
- Etiologies :
  - Fragilité capillaire
  - Hypertension artérielle : **prise de TA systématique**
  - Trouble de la coagulation ou prise d'anticoagulants
- Toujours **éliminer un traumatisme et la présence d'un corps étranger**
- Evolution favorable spontanément en une dizaine de jours

Conjonctivite :
- Rougeur diffuse avec gène oculaire
- Signes associés : larmoiement, prurit, sensations de « grains de sable », secrétions oculaires abondantes
- Etiologies :
  - **Bactérienne** : sécrétions muco-purulentes
    - × Terrain : nouveaux-nés ou personnes âgées
    - × Collyre antibiotique et lavages oculaires au sérum physiologique
    - × Lavage des mains
  - **Virale** (adénovirus) : atteinte bilatérale en deux temps, secrétions claires, adénopathie prétragienne, contagiosité 💧
    - × Collyres antiseptiques et lavages oculaires au sérum physiologique
    - × Lavage des mains 💧, parfois éviction scolaire
    - × Résolution lente en 15j-3semaines
  - **Allergique** : conjonctivite saisonnière bilatérale sur terrain atopique avec prurit, larmoiement, chémosis (œdème conjonctival)
    - × Eviction de l'allergène 💧 voire désensibilisation
    - × Collyres anti-histaminiques, parfois corticoïdes locaux associés
    - × Bilan allergologique

- **Chlamydiæ** : responsable de plusieurs types d'atteintes :
  - × Conjonctivite à inclusion de l'adulte : MST
  - × Trachome : conjonctivite qui se complique d'une opacification cornéenne responsable de cécité dans les pays en développement
  - × Conjonctivite du nouveau-né
  - × Syndrome de Fiessinger-Leroy-Reiter : urétrite, polyarthrite et conjonctivite
  - × Traitement antibiotique par macrolide

3 ŒIL ROUGE ET DOULOUREUX + ACUITE VISUELLE NORMALE

Episclérite :
- Inflammation de l'épisclère (entre la conjonctive et la sclère)
- Douleur oculaire modérée
- Lampe à fente : rougeur localisée disparaissant après application d'un vasoconstricteur local
- Etiologie : souvent idiopathique (recherche d'une maladie systémique seulement si récidives)
- Traitement : AINS ou corticoïdes locaux pendant 10 jours

Sclérite :
- Inflammation de la sclère
- Douleurs très importantes voire insomniantes qui augmentent à la mobilisation du globe
- Lampe à fente : rougeur localisée profonde sous forme d'une voussure violacée douloureuse ne disparaissant pas après application d'un vasoconstricteur local
- Etiologies :
  - Maladies de système : Spondylarthrite ankylosante, polyarthrite rhumatoïde, lupus, maladie de Crohn, psoriasis…
  - Vascularites : périartérite noueuse, maladie de Horton
  - Granulomatose : tuberculose, sarcoïdose
  - Infection : syphilis, herpes, zona, maladie de Lyme
  - Traumatisme
- Traitement :
  - Prise en charge étiologique
  - AINS PO et collyres corticoïdes

4 KERATITES

Définition : inflammation cornéenne qui s'accompagne d'ulcérations cornéennes

Signes fonctionnels :
- Douleurs du globe oculaire augmentées par le clignement
- Photophobie
- Blépharospasme
- Larmoiement
- Baisse de l'acuité visuelle variable selon la localisation par rapport à l'axe visuel

Lampe à fente avec instillation de fluorescéine :
- Rougeur oculaire diffuse
- **Erosions cornéennes voire ulcérations : test à la fluorescéine positif** 🔆 (prise de colorant jaune en lumière ambiante/ vert en lumière bleue)
- Cercle périkératique et opacités cornéennes

Etiologies :
- **Traumatique**
- **Infectieuses :**
  - **Virales :**
    - × **Herpes : ulcérations dendritiques ou en carte de géographie**
    - × **A éliminer systématiquement car contre-indication absolue des corticoïdes** 🔆 **(risque de perforation cornéenne)**
      Traitement par anti-herpétique local et/ou général 7j
    - × **Adénovirus** : kératite ponctuée superficielle
    - × **Zostérienne** : complication oculaire du zona ophtalmique du territoire du V1 réalisant le plus souvent une kératite ponctuée superficielle. Le traitement antiviral est systématique dans cette localisation.

- **Bactériennes, mycosiques ou parasitaires** 🖎 :
    - × Facteur favorisant : port de lentilles, traumatisme cornéen
    - × Clinique : abcès cornéen, hypopion
    - × Prélèvements locaux et mise en culture des lentilles
    - × Traitement par antibiotiques locaux et parfois généraux avec hospitalisation selon la gravité
    - × Complications possibles : perforation cornéenne, endophtalmie, taie cornéenne séquellaire

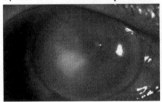

- **Syndrome sec oculaire :**
    - Insuffisance lacrymale (sénile, iatrogène ou syndrome de Gougerot-Sjögren) ou diminution de la qualité du film lacrymal (inflammation palpébrale)
    - Kératite ponctuée superficielle à l'examen
    - Test de Schirmer < 5mm en 5 minutes
    - Break up time : étudie la qualité du film lacrymal (pathologique si < 10 secondes)
    - Traitement par larmes artificielles
- **Pathologie palpébrale** : inocclusion, ectropion ou entropion
- **Iatrogène** : collyres toxiques

Traitement :
- Etiologique 🖎
- Symptomatique :
    - Collyre cicatrisant
    - Pommade vitamine A
    - Occlusion palpébrale proposée
- Surveillance

Le risque principal est l'apparition d'une cicatrice **cornéenne (ou taie)** qui peut diminuer de façon définitive la transparence de la cornée et entraîner une baisse de l'acuité visuelle

5 UVEITE ANTERIEURE AIGUE

Seule l'uvéite touchant l'uvée antérieure (l'iris et/ou le corps ciliaire) donne un œil rouge et douloureux

≠ Uvéites intermédiaires et postérieures non douloureuses mais avec hyalite ou foyer rétinien responsable d'une baisse d'acuité visuelle (cf item 187)

Signes fonctionnels :
- Douleurs oculaires profondes
- Larmoiement
- Photophobie
- Baisse de l'acuité visuelle

Examen clinique :
- Lampe à fente :
  - **Oeil rouge avec cercle périkératique** ✎
  - **Myosis aréflexique**
  - **Effet Tyndall** ✎ **= cellules inflammatoires en chambre antérieure voire hypopion**
  - **Précipités retro-cornéens** ✎ **= cellules inflammatoires à la face postérieure de la cornée**

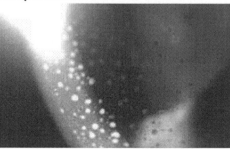

  - Si l'uvéite est persistante, formation de **synéchies :**
    × Irido-cristalliniennes
    × Irido-cornéennes

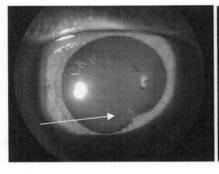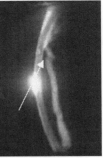

- Hypertonie oculaire possible
- **Fond d'œil systématique** 🖐 **: recherche de signes d'uvéite postérieure** (inflammation de la rétine et de la choroïde : hyalite, foyer rétinien, œdème maculaire)

Complications chroniques :
- Récidives (surtout si l'étiologie n'est pas prise en charge)
- Cataracte secondaire
- Glaucome secondaire à la corticothérapie prolongée ou aux synéchies
- Synéchies

Etiologies :
- Générales :
  - Idiopathique dans 50% des cas
  - Infectieuses 🖐 :
    × Virales : **herpes, zona**, CMV, HIV
    × Bactériennes : **syphilis, tuberculose**, maladie de Lyme
    × Parasitaire : **toxoplasmose**
  - Maladies systémiques :
    × **Spondylarthrite ankylosante** 🖐 (HLA B27+), arthrite chronique juvénile chez l'enfant
    × polyarthrite rhumatoïde, lupus, **Sarcoïdose**
    × Maladie de Behçet
  - Lymphome oculaire à évoquer systématiquement devant une uvéite du sujet âgé
- Causes oculaires :
  - Corps étranger intraoculaire méconnu
  - Inflammation post-opératoire

- Traumatisme oculaire

Bilan étiologique ✒ :
- Interrogatoire : Recherche de causes générales ou infectieuses
- Bilan biologique minimal :
  - NFS-plaquettes
  - VS, CRP
  - Calcémie, albuminémie, phosphorémie, calciurie, enzyme de conversion de l'angiotensine
  - TPHA-VDRL
  - Typage HLA B27 classe I
- IDR à la tuberculine ou quantiféron
- Radiographie thoracique
- Radiographie de bassin de face

Traitement :
- Urgence thérapeutique
- Traitement étiologique si cause retrouvée
- **Collyres corticoïdes** avec décroissance progressive
- **Collyres mydriatiques** pour prévenir les synéchies

Surveillance clinique

6 TRAUMATISME OCULAIRE ET CORPS ETRANGER (cf. item 201)

Interrogatoire et examen oculaire complet bilatéral et comparatif
- **Rédaction du certificat médical initial** ✒
- **Schéma daté et signé des lésions**

Contusion :
- Prise en charge spécifique en fonction des conséquences du traumatisme
- Surveillance rapprochée
- Parfois corticothérapie

Corps étranger superficiel :
- Test à la fluorescéine + mais Signe de Seidel -
- Ablation du corps étranger sous anesthésie locale

- Cicatrisant par collyre et pommade vitamine A
- Collyre antibiotique
- SAT-VAT

Plaie transfixiante :
- Signe de Seidel +
- Recherche d'un corps étranger :
  - TDM oculaire ou échographie mode B
  - Contre indication absolue a l'IRM
- Chirurgie en urgence :
  - Exploration sous anesthésie générale
  - Extraction corps étranger et traitement des lésions
- Antibiothérapie générale IV et SAT-VAT

Brûlures : lavage en urgence au sérum physiologique et prise en charge spécialisée

7 GLAUCOME AIGU PAR FERMETURE DE L'ANGLE

Urgence absolue diagnostique et thérapeutique ☛

Physiopathologie :
- Fermeture de l'angle irido-cornéen lors d'une dilatation pupillaire
- Blocage brutal de la résorption de l'humeur aqueuse au niveau du trabéculum
- Hypertonie oculaire aiguë responsable :
  - D'un œdème cornéen par altération de l'endothélium cornéen
  - D'une semi-mydriase aréflexique
  - D'une atrophie du nerf optique en l'absence de prise en charge rapide

Rechercher systématiquement :
- Terrain : **hypermétropie** ☛ (petit œil)

- **Facteur déclenchant** 🖋 **:**
  - Prise ou application de mydriatiques (médicaments parasympatholytiques ou sympathomimétique)
  - Anesthésie générale
  - Stress
  - Obscurité
- Antécédents d'épisodes spontanément résolutifs

Signes fonctionnels :
- **Douleur unilatérale intense brutale** 🖋
- Irradiation de la douleur dans le territoire du nerf trijumeau
- Baisse de l'acuité visuelle et œil rouge+
- Photophobie
- Céphalées
- Sueurs, nausées/vomissements

Examen clinique :
- Œil rouge et douloureux avec **cercle périkeratique** 🖋
- Palpation bilatérale : œil atteint dur comme une bille
- **Semi-mydriase aréflexique** 🖋

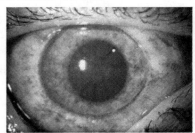

- Lampe à fente :
  - **Œdème cornéen (buée épithéliale)** 🖋
  - **Chambre antérieure plate**
  - **Angle irido-cornéen fermé à la gonioscopie**
- **Tonus oculaire** 🖋 **> 40 mmHg**

Examen de l'œil adelphe à la recherche de facteurs anatomiques favorisants 🖋 **:**
- Petite longueur axiale
- Chambre antérieure étroite
- Angle irido-cornéen étroit
- Cataracte intumescente

Traitement : Urgence 💣

- Hospitalisation en ophtalmologie
- Arrêt du facteur déclenchant (médicament) si retrouvé
- **Traitement hypotonisant général 💣 :**
  - **Mannitol à 20% IV** en l'absence de contre-indication
  - **Puis inhibiteurs de l'anhydrase carbonique (Diamox) IV**
    - × Bilan pré thérapeutique : ionogramme sanguin, urée, créatininémie, glycémie, bilan hépatique et ECG
    - × Eliminer les contre-indications : insuffisance rénale ou hépatique, antécédents de lithiase urinaire, allergie aux sulfamides
    - × Surveillance de la kaliémie et supplémentation en potassium
- Antalgique IV
- Local :
  - **Collyres hypotonisants : multi-thérapie** en l'absence de contre-indication
    - × Bêta-bloquants
    - × Inhibiteurs de l'anhydrase carbonique
    - × α2 agonistes
  - **Myotique 💣 :** Pilocarpine 2%
    - × Dans l'œil adelphe immédiatement : prévention
    - × Dans l'œil atteint une fois la pupille redevenue réactive et le tonus oculaire diminué
- **Réalisation rapide après la crise aux 2 yeux 💣 :**
  - Iridotomie périphérique au laser YAG : crée un orifice à la base de l'iris qui réalise une communication entre les chambres antérieure et postérieure (ou plus rarement une iridectomie périphérique chirurgicale)
  - Ces 2 interventions lèvent les contre-indications des médicaments mydriatiques

8 GLAUCOME NEO-VASCULAIRE

Contexte d'ischémie rétinienne avec néo-vaisseaux 💣 (rétinopathie diabétique, OVCR)
Signes fonctionnels identiques au glaucome aigu par fermeture de l'angle

Clinique :

- **Rubéose irienne** 💣
- **Néo-vaisseaux au fond d'œil et dans l'angle irido-cornéen** 💣
- **Chambre antérieure profonde**

Traitement :

- Symptomatique : traitement hypotonisant
- Etiologique : photocoagulation rétinienne des zones ischémiques et cyclo-destruction des procès ciliaires

9 ENDOPHTALMIE

Infection oculaire post-opératoire, ou secondaire à la présence d'un corps étranger ou plus rarement d'une bactériémie

Urgence absolue 💣

Signes fonctionnels :

- Oeil rouge et douloureux
- Baisse brutale de l'acuité visuelle

Clinique :

- Inflammation : effet tyndall, hypopion
- Fond d'œil : hyalite

Diagnostic : **ponction de vitré et de chambre antérieure et envoi en bactériologie**

Thérapeutique :

- **Antibiothérapie IV** 💣
- **Antibiothérapie intra-vitréenne large spectre** 💣
- **Collyres antibiotiques**
- **Corticoïdes locaux immédiats et généraux après 48h**
- **Mydriatiques**

	ANNEE	CONTENU
DOSSIER TOMBE A L'ECN	2010	Uvéite antérieure aigue chez un jeune homme avec spondylarthrite ankylosante. Analyse d'une photo de segment antérieur : cercle périkératique, précipités rétrocornéens et hypopion. Examen ophtalmologique d'une uvéite antérieure.

	PROBABILITE	CONTENU
DOSSIER TOMBABLE	+++	Uvéite antérieure aiguë chez un jeune homme avec douleurs rachidiennes, révélant une spondylarthrite ankylosante
	++	Conjonctivite allergique associée à un asthme sur terrain atopique
	++	Glaucome aigu par fermeture de l'angle
	++	Endophtalmie post chirurgie de la cataracte
	+	Kératite herpétique

Notes personnelles

- Diagnostiquer un diabète chez l'enfant et chez l'adulte
- Identifier les situations d'urgence et planifier leur prise en charge
- Argumenter l'attitude thérapeutique et planifier le suivi du patient
- Décrire les principes de la prise en charge au long cours

Tout patient diabétique doit avoir une surveillance ophtalmologique au moins annuelle.

La rétinopathie diabétique se caractérise par l'apparition de néo-vaisseaux qui peuvent se compliquer de : decollement de rétine tractionnel, hémorragie intra-vitréenne ou glaucome néo-vasculaire responsables d'une baisse brutale de l'acuité visuelle.

La maculopathie diabétique va quant à elle être responsable d'une baisse progressive de l'acuité visuelle.

La surveillance ophtalmologique doit être régulière avec fond d'œil, photographies du fond d'œil et réalisation d'une angiographie dès l'apparition de signes ischémiques.

La prise en charge associe l'équilibre strict de la glycémie et de la tension artérielle avec la photocoagulation laser pan-rétinienne dès l'apparition de néo-vaisseaux.

1 GENERALITES

Epidémiologie de la rétinopathie diabétique :

- Diabète de type 1 : apparaît le plus souvent après 5 à 10 ans d'évolution
- Diabète de type 2 : Déjà présente dans 20% des cas à la découverte du diabète

Physiopathologie : la rétinopathie diabétique est une complication de la micro-angiopathie rétinienne qui entraîne :

- Une occlusion chronique responsable d'une ischémie et de la formation de néovaisseaux
- Une hyper-perméabilité des capillaires rétiniens responsable d'un passage de fluide dans la rétine et donc d'œdème maculaire

Facteurs favorisants l'évolution de la rétinopathie ✒ :

- Durée du diabète
- Equilibre glycémique
- Equilibre tensionnel
- Existence d'une néphropathie diabétique et d'une protéinurie

- Modifications rapides lors de :
  - Grossesse
  - Puberté
  - Normalisation trop rapide de la glycémie

Mis à part la rétinopathie, le diabète peut être responsable de pathologies :

- Palpébrales et conjonctivales : conjonctivites, blépharites, chalazion, orgelet
- Oculomotrice : mononeuropathie (paralysie du VI, III)
- Cataracte et endophtalmie post opératoire
- Vasculaire : OACR, OVCR
- Neurologique : NOIAA

2 ATTEINTES RETINIENNES

Il existe deux types d'atteintes rétiniennes :

- **La rétinopathie diabétique** 💧:
  - Secondaire à l'occlusion capillaire responsable d'une ischémie rétinienne chronique
  - **Fond d'œil** 💧 (par ordre d'apparition):
    - × **Micro-anévrismes et hémorragies punctiformes**
    - × **Nodules cotonneux** : lésions blanchâtres
    - × **Hémorragies rétiniennes en tâches**
    - × **Dilatations veineuses prédominant en rétine périphérique et AMIR** (anomalies micro-vasculaires intra-rétiniennes)
  - Les zones ischémiques produisent un facteur angiogénique le VEGF responsable de la formation de **néo-vaisseaux**
  - Les néo-vaisseaux peuvent se compliquer et entraîner une baisse brutale de l'acuité visuelle

- **La maculopathie diabétique** 💧 :
  - Due à une hyper-perméabilité capillaire (rupture de la barrière hémato-rétinienne)
  - **Fond d'œil :**
    - × **Œdème rétinien**
    - × **Exsudats secs lipidiques**

- L'œdème maculaire diffus (œdème maculaire cystoïde ou non) ou focal, sera lui, responsable d'une baisse de l'acuité visuelle plus progressive

3 EVOLUTION ET STADES DE LA RETINOPATHIE DIABETIQUE

Stades	Clinique
Pas de rétinopathie diabétique	FO normal
Rétinopathie diabétique non proliférante	Minime, modérée ou sévère Devient **sévère ou pré-proliférante** quand elle répond aux trois critères suivants (4, 2, 1) : - Hémorragies rétiniennes en taches dans les 4 quadrants - Anomalies veineuses en chapelets dans au moins 2 quadrants - AMIR dans au moins 1 quadrant
Rétinopathie diabétique proliférante non compliquée	Néo-vaisseaux non compliqués pré-rétiniens et/ou pré-papillaires
Rétinopathie diabétique proliférante compliquée	- **Hémorragie intra-vitréenne** - **Décollement de rétine tractionnel** - **Glaucome néo-vasculaire secondaire à l'envahissement de l'angle irido-cornéen par les néo-vaisseaux**

Rétinopathie diabétique proliférante non compliquée

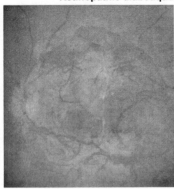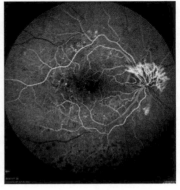

4 SURVEILLANCE OPHTALMOLOGIQUE D'UN DIABETIQUE

Examen clinique 1 fois/an ✒ pour tous les diabétiques avec **fond d'œil et photographies couleurs du fond d'œil**
- A partir de plus de 5 ans d'évolution d'un diabète de type 1
- Dès la découverte d'un diabète de type 2

Cette surveillance est plus fréquente selon le stade de la rétinopathie et sera complétée par une **angiographie à la fluorescéine** à la recherche de territoires ischémiques :
- En l'absence de rétinopathie ou RD minime : 1 fois/an
- RD modérée à sévère : tous les 4 à 6 mois +ou- angiographie
- Rétinopathie proliférante : tous les 3 mois +ou- angiographie jusqu'à la fin du traitement laser

Une surveillance plus rapprochée est réalisée pendant la puberté, la grossesse, la chirurgie de la cataracte, une poussée tensionnelle, l'apparition d'une insuffisance rénale et la normalisation rapide des glycémies

Une OCT à la recherche d'un œdème maculaire est réalisée si doute sur un œdème maculaire ou suivi de celui-ci.

5 PRISE EN CHARGE

Prise en charge clinique ✒ :
- **Equilibre glycémique strict** ✒ mais la normalisation doit être progressive
- **Equilibre tensionnel** ✒ : objectif TA<130/80
- Recherche et correction des autres facteurs de risque cardio-vasculaire

Traitement des néo-vaisseaux :
- **Photocoagulation pan-rétinienne au laser Argon** ✒ dès l'apparition de néo-vaisseaux et parfois dès le stade pré-proliférant si facteurs de risques d'évolution : lasérisation de toute la rétine périphérique au-delà des arcades vasculaires
- Des injections intra-vitréennes d'anti-VEGF peuvent être proposées pour bloquer l'évolution des néo-vaisseaux le

temps de réaliser la PPR si RD proliférante sévère a risque de complication (pas d'AMM dans cette indication)

Rétinopathie diabétique proliférante post-PPR

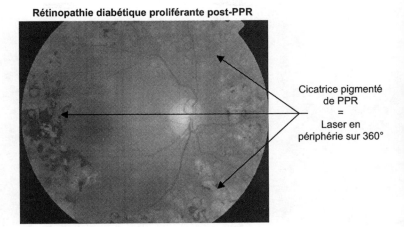

Cicatrice pigmenté de PPR
=
Laser en périphérie sur 360°

Traitement de l'œdème maculaire :

- Equilibre du diabète et de la TA ☛
- Photocoagulation soit en grid soit laser focal sur microhémorragie en cas d'œdème maculaire entraînant une baisse sévère de d'acuité visuelle
- Ou injection intra-vitréenne de corticoïdes en cas d'échec du traitement laser (pas d'AMM dans cette indication)

Traitement chirurgical des complications (décollement de rétine, hémorragie intra-vitréenne persistante)

	ANNEE	CONTENU
DOSSIER TOMBE A L'ECN	2004	Rétinopathie diabétique proliférante compliquée d'une hémorragie intra-vitréenne chez un homme de 65 ans présentant de nombreux facteurs de risque cardiovasculaire
	2006	Rétinopathie diabétique Indication du fond d'œil et prise en charge des facteurs de risque cardio-vasculaire
	2006	Bilan d'un diabète
	PROBABILITE	**CONTENU**
DOSSIER TOMBABLE	+++	Découverte fortuite d'une rétinopathie diabétique chez un diabétique de type II Prise en charge et surveillance
	+++	Baisse brutale de l'acuité visuelle. Décollement de rétine tractionnel sur néo-vaisseaux chez un diabétique
	++	Traitement et surveillance d'une rétinopathie proliférante non compliquée

Dépistage systématique par prise du tonus oculaire chez tout patient de plus de 40 ans ou avec antécédents familiaux de glaucome chronique.
Triade diagnostique : hypertonie oculaire > 21 mmHg, excavation papillaire et altération du champ visuel sur un champ visuel statique automatisé (référence pour le diagnostic et le suivi du glaucome chronique) : ressaut nasal, scotome paracentral, scotome arciforme de Bjerrum.
Traitement médical à vie par collyre hypotonisant : Bêta-bloquant ou analogue de la prostaglandine en monothérapie en première intention. Education et information.
Traitement laser ou chirurgical si et seulement si intolérance aux collyres ou hypertonie persistante malgré un traitement médical maximal.
Suivi ophtalmologique régulier bilatéral à vie

1 GENERALITES

2ème cause de cécité dans les pays industrialisés après la DMLA

Définition : **Neuropathie optique chronique et progressive entraînant une atrophie du nerf optique, le plus souvent secondaire à une hypertonie oculaire prolongée** ☛

Physiopathologie :
- Dysfonction du trabéculum qui abouti à la diminution de l'élimination de l'humeur aqueuse et donc à son accumulation dans le segment antérieur
- Cette accumulation est responsable d'une augmentation de la pression intraoculaire
- La pression oculaire entraîne une neuropathie optique chronique par deux mécanismes supposés:
  - Mécanique : compression de la tête du nerf optique
  - Ischémique : insuffisance circulatoire des capillaires rétiniens et de la tête du nerf optique qui entraîne une hypo-perfusion papillaire

Facteurs de risques :

- Hypertonie oculaire connue > 21 mmHg
- Age > 40 ans
- Myopie forte
- Antécédents personnels et familiaux
- Facteurs de risque cardio-vasculaire : diabète
- Vasospasme : hypotension artérielle, syndrome de Raynaud
- Corticothérapie au long cours
- Patient mélanoderme

Définition : triade diagnostique 💧

- **Hypertonie oculaire**
- **Excavation papillaire**
- **Altération du champ visuel**

2 CLINIQUE

Signes fonctionnels :

- **Longtemps asymptomatique d'où l'importance du dépistage** 💧
- Altération asymptomatique du champ visuel
- A un stade évolué :
  - **Champ visuel tubulaire** en canon de fusil
  - Puis baisse de l'acuité visuelle
  - Et enfin **cécité irréversible**

Examen clinique :

- **Dépistage systématique** 💧 **par prise du tonus oculaire et fond d'œil chez tous les patients de plus de 40 ans ou avec antécédents familiaux de glaucome chronique**
- Œil blanc et indolore
- Lampe à fente : normal (sauf dans les glaucomes secondaires)
- Gonioscopie : angle ouvert
- Tonus oculaire : **hypertonie oculaire > 21 mmHg** 💧 (à confronter à la mesure de l'épaisseur cornéenne à la pachymétrie)

- Fond d'œil : **excavation papillaire** ✏️
  - Rapport cup/disc augmenté > 0, 3
  - Encoche d'un bord papillaire (atrophie des fibres optiques)
  - Rejet nasal des vaisseaux émergeants de la papille
  - Hémorragies superficielles en flammèche secondaires à des poussées d'hypertonie oculaire

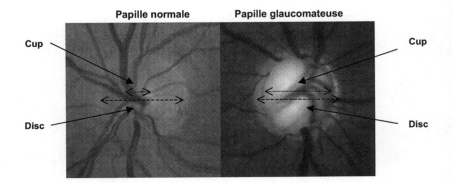

3 EXAMENS COMPLEMENTAIRES

Champs visuel statique automatisé ✏️ **(ou périmétrie) : altération du champ visuel**

- Ressaut nasal
- Scotome paracentral
- **Scotome arciforme de Bjerrum** ✏️ **:** part de la tache aveugle et contourne le point de fixation

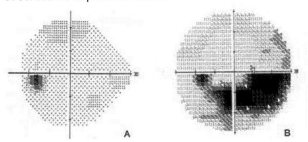

A : Champs visuel normal B : scotome arciforme de Bjerrum

- Rétrécissement concentrique du champ visuel au stade le plus évolué
- Un champ visuel normal n'élimine pas le diagnostic de glaucome chronique

Pachymétrie : Mesure de l'épaisseur cornéenne
- Permet d'analyser le tonus oculaire en fonction de l'épaisseur cornéenne
- Plus une cornée est épaisse plus le tonus sera sur-estimé/ Plus la cornée est fine, plus le tonus mesuré sera sous-estimé

OCT avec mesure de l'épaisseur des fibres optiques autour de la papille :

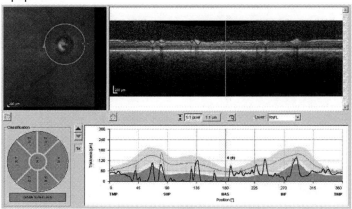

4 FORMES SPECIFIQUES

Glaucome à pression normale pour lequel il faut :
- Eliminer un faux glaucome à pression normale : prise de bétabloquants systémique, cornée fine à la pachymétrie, variations nycthémérales
- **Eliminer un diagnostic différentiel d'atrophie papillaire : processus neurologique expansif** 👁
- Par élimination : glaucome à pression normale idiopathique du sujet âgé avec facteurs de risque cardio-vasculaire et/ou hypoperfusion du nerf optique

Glaucome pseudo-exfoliatif :

- Synthèse de matériel exfoliatif par l'iris et l'uvée qui obstrue le trabéculum
- Examen : dépôts blanchâtres sur le pourtour de la pupille et matériel exfoliatif dans l'angle irido-cornéen

Glaucome pigmentaire :

- Frottement de l'épithélium pigmentaire de l'iris contre le cristallin qui provoque un syndrome de dispersion pigmentaire dans le segment antérieur
- Terrain : patient jeune et myope
- Clinique : Tyndall pigmenté, dépôts cornéens, pigments dans l'angle irido-cornéen et atrophie irienne périphérique

Glaucome cortisonique après un traitement au long cours, parfois réversible à l'arrêt du traitement

5 PRISE EN CHARGE

Le but du traitement est de normaliser le tonus oculaire et de stabiliser l'atteinte du champ visuel et l'excavation papillaire.

Traitement médical à vie ✒ par collyres dès le diagnostic :

- **Information et éducation sur l'importance du traitement** ✒
- 1ère intention en monothérapie :
  - **Bêta-bloquant (Timoptol®) :**
    - × Diminue la sécrétion de l'humeur aqueuse
    - × Respect des CI de la classe ✒ : insuffisance cardiaque décompensée, asthme, troubles de conduction, blocs de haut degré, syndrome de Raynaud, bradycardie
  - **Analogue de la prostaglandine (Xalatan®, Travatan® Lumigan®) :**
    - × Augmente l'écoulement de l'humeur aqueuse
    - × Effets secondaires : hyperpigmentation de l'iris et des cils, rougeur oculaire, sensation de corps étranger
- 2ème intention :
  - **Inhibiteur de l'anhydrase carbonique (Azopt®) :**
    - × Diminue la sécrétion d'humeur aqueuse

- **Agonistes α2 adrénergiques (Alphagan®) :**
  - × Action double de diminution de la sécrétion et d'augmentation de l'écoulement de l'humeur aqueuse
- **Parasympathomimétique (Pilocarpine®) :**
  - × Ancien médicament, quasiment abandonné dans cette indication
  - × Augmente l'écoulement de l'humeur aqueuse
  - × Nombreux effets secondaires : allergie, myosis, troubles de l'accommodation, sueurs et bradycardie

Stratégie thérapeutique :
- Si échec du traitement en monothérapie : changement de classe
- Si traitement efficace mais insuffisant en monothérapie : débuter une bithérapie
- Si bithérapie insuffisante : tri thérapie

Pour améliorer l'observance il existe de nombreux collyres d'association fixe de 2 principes actifs.

Traitement hypotonisant PO ou IV :
- Inhibiteur de l'anhydrase carbonique par voie générale (Diamox®)
  - Contre-indications : antécédents de lithiases urinaires, insuffisance hépatique, insuffisance rénale, grossesse, allergie aux sulfamides
  - Effets secondaires : hypokaliémie, acidose métabolique, lithiases rénales, nausées, allergies
- Traitement qui est utilisé seulement sur de courtes périodes, le plus souvent en attendant une prise en charge chirurgicale pour contrôler le tonus oculaire

Traitement interventionnel :
- Si et seulement si :
  - **Echec du traitement** : hypertonie rebelle, aggravation de l'excavation papillaire ou du champ visuel
  - **Intolérance aux collyres**
- Techniques possibles :
  - Laser : trabéculoplastie (facilite l'écoulement de l'humeur aqueuse)
  - Chirurgie : création d'une communication entre la chambre antérieure et l'espace sous conjonctival par laquelle l'humeur aqueuse va s'évacuer :

- × Trabéculectomie et iridectomie périphérique
- × Ou sclérectomie profonde non perforante

Surveillance à vie bilatérale de l'efficacité et de la tolérance du traitement ☛ :

- Examen clinique avec acuité visuelle, tonus oculaire et fond d'œil :
  - A 3 mois puis
  - Tous les 6 mois si traitement efficace

- Champs visuel statique automatisé tous les 6 mois à 1 an (voire tous les 3 mois si glaucome non contrôlé)

 | **DOSSIERS** | **TOMBES** | **ET** | **TOMBABLES**

	ANNEE	CONTENU
DOSSIER TOMBE A L'ECN	2007	**Baisse de l'acuité visuelle progressive bilatérale chez un homme de 48 ans** **Diminution de la vision de près et altération du champ visuel** **Diagnostic de glaucome chronique, examen clinique, champ visuel et traitement médical**
	PROBABILITE	CONTENU
DOSSIER TOMBABLE	+++	**Le dossier de 2007 est typique du dossier de glaucome chronique avec une prise en charge consensuelle**
	+	**Baisse de l'acuité visuelle chez un patient traité par corticoïdes au long cours.** **Diagnostic différentiel de cataracte ou de glaucome cortisonique.**

<u>**Notes personnelles**</u>

L'orbitopathie dysthyroïdienne est présente essentiellement au cours de la maladie de Basedow par infiltration inflammatoire de l'orbite.

Clinique en l'absence de complications : signes palpébraux, conjonctivaux, exophtalmie réductible non douloureuse, hypertonie oculaire.

Les complications possibles : orbitopathie maligne, neuropathie optique, atteinte des muscles oculomoteurs, et lésions cornéennes par mal-occlusion palpébrale.

Prise en charge : traitement symptomatique de la dysthyroïdie, anti-thyroïiens de synthèse et protection oculaire par collyres, cicatrisants, hypotonisants et port de lunettes teintées.

1 MANIFESTATIONS CLINIQUES

Physiopathologie :

- La maladie de Basedow est la principale dysthyroïdie responsable de manifestations oculaires en plus du syndrome général de thyrotoxicose (exceptionnellement au cours d'une maladie de Hashimoto)
- Ces manifestations sont dues à la formation d'un œdème des tissus orbitaires secondaires à la formation d'un infiltrat inflammatoire lymphocytaire, indépendant du taux d'hormones thyroïdiennes
- Les manifestations ophtalmologiques peuvent survenir en parallèle de l'hyperthyroïdie ou bien précéder les manifestations générales

Les manifestations oculaires forment l'orbitopathie Basedowienne non compliquée :

- **Palpébrales** 🖐 :
  - Œdème palpébral
  - Rétraction de la paupière supérieure (apparition de la sclère au-dessus du limbe supérieur)
  - Pigmentation palpébrale

- Asynergie oculo-palpébrale : la paupière supérieure suit mal et avec retard le mouvement de l'œil lors du regard vers le bas
- **Conjonctivales :**
  - Hyperhémie conjonctivale, chémosis
  - Rougeur aux insertions des muscles oculo-moteurs
- **Exophtalmie > 20 mm** 💧 :
  - **Bilatérale**
  - **Réductible**
  - **Axile**
  - **Indolore**
  - **Asymétrique**
  - **Non pulsatile**
- **Tonus oculaire augmenté** souvent > 21mmHg

Complications :
- **Orbitopathie maligne** 💧 :
  - Survenue rapide
  - **Exophtalmie > 25 mm, douloureuse, irréductible**
  - Complications cornéennes et du nerf optique
  - Favorisée par le tabac, le stress opératoire et le retour trop rapide en euthyroïdie 💧
- **Neuropathie optique** 💧 :
  - Baisse de l'acuité visuelle et altération du champ visuel
  - Par 2 mécanismes :
    - × Mécanique : compression du nerf optique
    - × Ischémique : compression de la vascularisation du nerf optique
- **Diplopie** par infiltration des muscles oculomoteurs (en particulier le muscle droit inférieur)
- **Ulcérations cornéennes** avec au maximum perforation cornéenne signe de mal-occlusion palpébrale

2 BILAN OPHTALMOLOGIQUE

Examen clinique :
- Oculomotricité
- Acuité visuelle

- Fond d'œil
- Mesure de l'exophtalmie par l'ophtalmomètre de Hertel

Examens complémentaires :
- **TDM ou IRM orbitaire avec mesure de l'index oculo-orbitaire** ✴ définissant l'exophtalmie ; infiltration des muscles oculomoteurs et augmentation du compartiment graisseux.
- **Test de Lancaster** à la recherche d'une diplopie
- **Champ visuel**

3 TRAITEMENT DE L'ORBITOPATHIE BASEDOWIENNE

Traitement de l'hyperthyroïdie ✴ :
- **Traitement symptomatique** : repos, bétabloquants non cardiosélectifs, anxiolytiques et contraception efficace
- **Antithyroïdiens de synthèse** avec éducation du patient sur le risque d'agranulocytose médicamenteuse et le contrôle régulier de la NFS

ARRET du TABAC ✴

Traitement de l'orbitopathie ✴ :
- Collyres :
  - Larmes artificielles
  - Hypotonisant
  - Cicatrisant locaux (pommade à la vitamine A) si ulcérations cornéennes
- Occlusion palpébrale nocturne
- Port de verres teintés
- Surélever la tête du lit

Si orbitopathie maligne :
- **Bolus IV de corticoïdes**
- Radiothérapie rétro-oculaire
- Décompression osseuse ou graisseuse chirurgicale en cas de récidive fréquente ou d'exophtalmie réfractaire au reste du traitement

Attention ✹ :

- Pas de traitement radical de l'hyperthyroïdie (chirurgical ou par iode radioactif) ni opération chirurgicale si le patient :
  - Présente une orbitopathie patente
  - N'est pas en euthyroïdie depuis 2-3 mois
- Car risque de déclenchement d'une crise aiguë thyrotoxique et d'une orbitopathie maligne en post-opératoire

Traitement des séquelles :

- Diplopie :
  - Rééducation orthoptique par prismes
  - Chirurgie des muscles oculo-moteurs si fibrose musculaire
- Chirurgie des paupières si rétraction palpébrale chronique

4 AUTRES CAUSES D'EXOPHTALMIE

Définition : Protrusion du globe oculaire

Type	Etiologies
Inflammatoires	• **Cellulite infectieuse** orbitaire ✹ : - Œdème palpébral, fièvre, douleur - Ethmoïdite aiguë de l'enfant ou infection dentaire • Pseudo-tumeur inflammatoire
Infiltratives bilatérales	• Sarcoïdose • Maladie de Wegener
Vasculaires	• **Fistule carotido-caverneuse** ✹ : - Traumatisme responsable d'une exophtalmie pulsatile - Souffle orbitaire - Vasodilatation conjonctivale en « tête de méduse » • Shunt dural spontané • Varices des veines orbitaires • Angiome orbitaire

Tumorales	<ul><li>Tumeurs primitives de l'orbite</li><li>Extension de tumeurs de voisinage (cancer de l'ethmoïde)</li><li>Lymphome</li><li>Métastases orbitaires (poumon, prostate, sein)</li></ul>

 DOSSIERS TOMBES ET TOMBABLES

	PROBABILITE	CONTENU
DOSSIER TOMBABLE	**++**	**Maladie de Basedow présentant un syndrome de thyrotoxicose et une exophtalmie.** **Prise en charge de l'hyperthyroïdie et protection oculaire**

Notes personnelles

Chalazion : inflammation d'une glande de Meibomius. Stade inflammatoire traité par pommade corticoïde et antibiotique. Stade enkysté incisé puis pommade. Education aux règles d'hygiène palpébrale.

Orgelet : infection à staphylocoque d'une glande de Zeis. Nodule inflammatoire centré sur un cil. Traitement par pommade antibiotique seule.

Ptôsis : rechercher les signes de gravité (ptôsis bilatéral ou recouvrant l'axe visuel avec risque d'amblyopie). Eliminer en urgence un anevrisme de la carotide interne ou une dissection carotidienne. Rechercher des signes de myasthénie. Traitement chirurgical avec photographies pré et post opératoire.

Ectropion et entropion : recherche et prise en charge des complications cornéennes. Traitement chirurgical.

Tumeurs palpébrales : toute lésion chronique ou atypique des paupières est une tumeur jusqu'à preuve du contraire. Carcinome baso-cellulaire le plus fréquent.

1 PATHOLOGIES INFECTIEUSES

Chalazion :

- Définition : granulome inflammatoire du tarse au dépend d'une glande sébacée, la glande de Meibomius

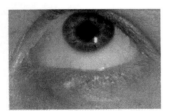

- Stade aigu :
  - Clinique : nodule inflammatoire sous cutané intra-palpébral
  - Traitement : pommade corticoïdes et antibiotique (Sterdex®) 10j

- Stade enkysté :
  - Clinique : nodule ferme, indolore
  - Traitement : incision chirurgicale et curetage puis pommade corticoïdes et antibiotique 10j
- **Education pour la prévention de la récidive par l'hygiène palpébrale :**
  - Application d'un gant imbibé d'eau tiède 5 minutes matin et soir
  - Massage du bord libre des paupières
  - Essuyer les sécrétions par compresses
- Si échec du traitement ou récidive précoce toujours penser à une origine tumorale (basocellulaire)

Orgelet :

- Définition : infection bactérienne à staphylocoque aureus d'une glande pilo-sébacée de Zeiss ou de Moll
- Facteurs de risque :
  - **Diabète**
  - Acné
  - Amétropie non corrigée (hypermétropie, astigmatisme)
  - Blépharite (inflammation du bord libre des paupières)
- Diagnostic :
  - Douleur, œdème palpébral et écoulement purulent
  - **Tuméfaction du bord libre de la paupière centrée sur un cil**
- Traitement : antibiotique anti-staphylococcique local (ex : acide fusidique local)

2 PTOSIS

Définition : chute d'une paupière supérieure qui recouvre le limbe sur plus de 2 mm

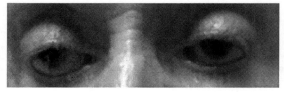

Deux urgences neurologiques à éliminer en urgence, après examen pupillaire ✍ :

- **Mydriase : Anévrisme de la carotide interne** présentant une ophtalmoplégie douloureuse avec paralysie du III intrinsèque (mydriase) et extrinsèque
- **Myosis : Dissection carotidienne** avec signe de Claude Bernard Horner (myosis, ptôsis, enophtalmie)

Examen clinique :

- **Attitude compensatrice de la tête** penchée en arrière
- Mesure de la fente palpébrale
- Testing du muscle releveur de la paupière supérieure
- Recherche d'un retard palpébral : retard de déplacement de la paupière supérieure lors du regard vers le bas (évocateur d'un ptôsis congénital)
- **Etude de l'oculomotricité et du réflexe photomoteur : rechercher une atteinte du nerf III** ✍

Etiologies :

- Congénital : anomalies des muscles ou des aponévroses
  - – Gravité si atteinte de l'axe visuel : **risque d'amblyopie**
- Acquis :
  - – **Neurogène : Eliminer les 2 urgences neurologiques**
  - – **Myogène :**
    - × **Sénile** ✍ : fréquent, bilatéral, asymétrique
    - × **Myasthénie** ✍ : augmente pendant la journée, s'améliore lors du test du glaçon posé sur la paupière supérieure. Peut s'associer à une diplopie avec troubles oculomoteurs
    - × Traumatique : lésion du muscle releveur de la paupière supérieure. Toujours rechercher une plaie du globe oculaire ou des canalicules lacrymaux associée

Traitement :

- Etiologique si possible
- **Chirurgie :**
  - – **D'autant plus rapide qu'il existe un risque d'amblyopie chez l'enfant**
  - – **Photographies pré et post-opératoire : médico-légal** ✍

- Toujours tester l'occlusion palpébrale en post-opératoire (risque d'exposition cornéenne post-opératoire)

3 PAUPIERE INFERIEURE

Ectropion :
- Définition : **éversion du bord libre de la paupière inférieure**

- Etiologies :
  - Sénile : bilatéral, asymétrique
  - Paralysie du muscle orbiculaire inférieur (nerf VII)
  - Cicatriciel : traumatisme, dermatose
  - Congénital : doit faire rechercher d'autres malformations de la face
- Examen :
  - Degré d'inocclusion palpébrale et atteinte cornéenne
  - Laxité canthale médiale et latérale
  - Recherche étiologique
- Complications :
  - Conjonctivite et kératite d'exposition
  - Eczéma conjonctival
  - Larmoiement

Entropion :
- Définition : **rotation interne du bord libre de la paupière inférieure**
- Etiologies :
  - Sénile
  - Congénital

- Cicatriciel
- Spastique : secondaire à une inflammation chronique du tarse qui entraîne un fort clignement
- Examen :
  - Laxité tarsale et canthale
  - Retentissement cornéen (par frottement des cils)
- Complications :
  - Kératite ponctuée superficielle
  - Conjonctivites récidivantes
  - Ulcère voire abcès de cornée

Prise en charge commune :
- **Des complications ✦ :**
  - **Larmes artificielles plusieurs fois par jour**
  - **Pommade à la vitamine A**
  - **Occlusion palpébrale nocturne**
- Traitement chirurgical : chirurgie plastique palpébrale

4 TUMEURS PALPEBRALES

A évoquer devant toute lésion chronique ou atypique des paupières ✦

Tumeurs malignes :
- **Baso-cellulaire ✦ :**
  - Situé le plus souvent sur la paupière inférieure
  - Lésion ferme à bords surélevés avec cratère central et vascularisation superficielle : **aspect perlé**
  - Saigne au contact
  - Perte de cils
  - Attention peut initialement mimer un chalazion

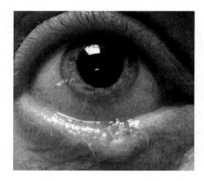

- **Spino-cellulaire (ou carcinome épidermoïde) :**
  - Tuméfaction inflammatoire avec adénopathies
  - Dissémination lymphatique
- Mélanome
- Adénocarcinome de la paupière supérieure (mime un chalazion)

Tumeurs bénignes (les plus fréquentes):
- Angiomes
- Papillomes
- Nævus
- Xanthélasma sur hyperlipidémie chronique
- Kystes canalaires

DOSSIERS	TOMBES	ET	TOMBABLES

	PROBABILITE	CONTENU
DOSSIER TOMBABLE	++	Ptôsis acquis : orientation diagnostic. Eliminer les urgences, prise en charge d'une myasthénie
	+	Seuls le chalazion et l'orgelet sont théoriquement au programme de cet item. Très peu tombable

Examen : réfraction objective (par refractomètre automatique) et mesure subjective de l'acuité visuelle par échelles de Monoyer et Parinaud.

Myopie : image formée en avant de la rétine. Baisse de l'acuité visuelle de loin. Patient prévenu de l'importance d'un examen annuel avec fond d'œil au verre à 3 miroirs afin de dépister les zones de fragilités exposant au décollement de rétine. Traitement par verres divergents.

Hypermétropie : image formée en arrière de la rétine. Baisse de l'acuité visuelle de près et de loin accompagnée de céphalées d'accommodation. Réfraction sous cycloplégique. Patient prévenu du risque de glaucome aigu par fermeture de l'angle. Traitement par verres convergents.

Astigmatisme : perte de sphéricité de la cornée qui conduit à la formation d'une image floue sur la rétine. Défini par son axe et son pouvoir réfractif. Traitement par verres cylindriques.

Presbytie : perte du pouvoir accomodatif du cristallin à partir de 40 ans. Baisse progressive de l'acuité visuelle de près.

1 GENERALITES

Les troubles de la réfraction sont responsables d'une baisse de l'acuité visuelle progressive

Physiologie : la réfraction est le rapport entre :
- La longueur axiale du globe (~ 23,5 mm)
- Le pouvoir de réfraction :
  - Du cristallin (~ 20 dioptries)
  - De la cornée (~ 43 dioptries)

Un **œil emmétrope** est optiquement normal, les rayons lumineux convergent directement sur la rétine, alors qu'un **œil amétrope** présente un trouble de la réfraction

Les principales amétropies :

- **Myopie : l'image se forme en avant de la rétine**
- **Hypermétropie : l'image se forme en arrière de la rétine**
- **Astigmatisme : défaut de sphéricité cornéenne**
- **Presbytie : perte d'accommodation du cristallin**

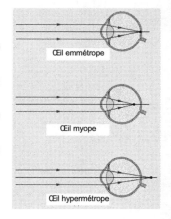

Œil emmétrope

Œil myope

Œil hypermétrope

2 CLINIQUE

Circonstances de découverte :
- Baisse progressive de l'acuité visuelle
- Autres signes fonctionnels : céphalées
- Strabisme associé
- Retentissement : difficultés scolaires

Examen ophtalmologique :
- **Réfraction objective :**
  - **Skiascopie** sous cycloplégique : état sphéro-cylindrique du globe (examen désuet, de moins en moins utilisé)
  - **Réfractomètre automatique** ☞ : appareil qui mesure automatiquement la réfraction théorique de l'œil

Exemple de résultat obtenu avec le réfracteur automatique

R	+3,25	-0,75	0	R et L : œil droit / gauche
	+3,50	-0,50	5	
	+3,25	-0,75	5	1ère colonne : état de
	<+3,25	-0,75	5>	sphéricité de l'œil : + si
L	+3,75	-1	20	hypermétrope/ - si myope
	+3,75	-0,75	25	
	+3,50	-1	20	2ème et 3ème colonne :
	<+3,75	-1	20>	astigmatisme et son axe

- Acuité visuelle subjective :
  - De loin : **échelle de Monoyer** de 1/10ème à 10/10ème
  - De près : **échelle de Parinaud** de P20 (la plus faible) à P2 (acuité visuelle normale)
  - Sans puis avec correction
- Examen complet avec tonus oculaire et fond d'œil

3 MYOPIE

Définition : **l'image se forme en avant de la rétine** soit :

- **Myopie axile** : œil trop long
- Myopie réfractive par atteinte cornéenne ou cristallinienne : œil trop convergent (ex : myopie d'indice au cours de la cataracte nucléaire)

Clinique :

- **Baisse de l'acuité visuelle de loin** (vision nette de près)
- Vision améliorée sur fond rouge
- **Recherche systématique d'anomalies rétiniennes au fond d'œil examiné au verre à 3 miroirs** ✿ pour rechercher des lésions prédisposantes au décollement de rétine

On distingue la myopie faible à modérée < -6Dioptries, de la myopie forte >-6 Dioptries, qui présente des risques de complication.

Complications :

- **Décollement de rétine** ✿
- Glaucome chronique

- Cataracte précoce
- Maculopathies : formation de néo-vaisseaux choroïdiens

Prise en charge :
- Traitement :
  - Lunettes ou lentilles :
    - × Notées négativement en dioptries ; ex : OD : -0,5, OG: -1,25
    - × Divergentes, sphériques

  - Chirurgie réfractive par laser : non indiquée en première intention, après information claire du patient et stabilisation de la myopie
- **Surveillance au minimum 1 fois par an** 💣 **:**
  - **Fond d'œil dilaté au verre à 3 miroirs** si myopie forte (>-6 dioptries)
  - Tonus oculaire
  - Information du patient sur les signes d'alerte devant l'amener à consulter en urgence
- **Prévention du décollement de rétine par photo-coagulation localisée** 💣 autour des zones de déchirures ou déhiscences rétiniennes

4 HYPERMETROPIE

Définition : **l'image se forme en arrière de la rétine** soit :
- **Hypermétropie axile** : longueur du globe trop petite
- Hypermétropie réfractive : diminution du pouvoir de réfraction du cristallin ou de la courbure cornéenne

Clinique :
- Selon l'importance de l'hypermétropie : **soit baisse de l'acuité visuelle de loin et de près dès l'enfance si hypermétropie forte, soit baisse d'acuité visuelle vers 30- 40 ans si hypermétropie faible**
- **Céphalées sus-orbitaires** majorées en fin de journée, fatigue visuelle (secondaires aux tentatives constante d'accommodation)
- Hyperhémie conjonctivale, larmoiement

- **Examen de l'acuité visuelle sous cycloplégique** ✒ : il est nécessaire de réaliser une réfraction objective sous cycloplégique pour paralyser l'accommodation et démasquer une hypermétropie devant :
  - Des céphalées chroniques inexpliquées
  - Une fatigue visuelle
  - Un strabisme convergent
  - Une amblyopie
- Vision améliorée sur fond vert

Complications :
- Céphalogène
- **Strabisme convergent accommodatif (chez enfant)**
- Presbytie précoce
- Facteur de risque de **glaucome aigu par fermeture de l'angle** ✒ (car œil plus petit) (après 50 ans)

Prise en charge :
- Traitement :
  - Lunettes ou lentilles :
    - Notées positivement en dioptries ; ex : OD : +2, OG : +1,75
    - Convergentes, sphériques
  - Chirurgie réfractive au laser : non indiquée en première intention, réalisée chez un patient majeur, prévenu des risques opératoires et présentant une hypermétropie stable
- Patient prévenu du risque de glaucome aigu par fermeture de l'angle

5 ASTIGMATISME

Définition : sphère cornéenne irrégulière. L'image d'un point est alors déformée et forme une image non ponctuelle sur la rétine
Un astigmatisme est caractérisé par son pouvoir réfractif et son axe

Signes fonctionnels :
- Flou visuel
- Fatigue visuelle, céphalées
- Hyperhémie conjonctivale

- Au maximum : diplopie monoculaire

Recherche systématique d'une **cause secondaire d'astigmatisme** :
plaie cornéenne, kératocône, cataracte, traumatisme oculaire

Prise en charge :
- Lunettes ou lentilles : cylindriques définies par leur axe et leur puissance, convergents ou divergents et marqué entre parenthèses sur l'ordonnance ; ex (OD : -1,50 à 125°)
- Chirurgie réfractive

6 PRESBYTIE

Définition : **perte progressive et physiologique du pouvoir accommodatif du cristallin**
La presbytie est révélée plus précocement chez l'hypermétrope que chez le myope

Clinique :
- **Baisse de l'acuité visuelle de près qui débute après 40 ans**
- Un texte lu nécessite d'être éloigné pour être lisible
- Fatigue visuelle

Prise en charge :
- Verres convergents sphériques notés positivement en dioptries pour la vision de près à ajouter aux verres correcteurs pour la vision de loin (verres progressifs ou à double foyer)

Evolution chronique continue

	PROBABILITE	CONTENU
DOSSIER TOMBABLE	++	Strabisme accommodatif chez un enfant présentant une hypermétropie
	++	Décollement de rétine rhegmatogène chez un patient myope sans suivi
	+	Presbytie

Notes personnelles

ALTERATION DE LA FONCTION VISUELLE

• Devant une altération de la fonction visuelle, argumenter les principales hypothèses
diagnostiques et justifier les examens complémentaires pertinents

293

Part III

 X 1

Interrogatoire et examen clinique complet
Devant une baisse de l'acuité visuelle : œil rouge et/ou douloureux ou œil blanc et indolore
Devant une amputation du champ visuel : examen du champ visuel qui permet la localisation
anatomique de la lésion. Atteinte unilatérale préchiasmatique (rétine, nerf optique) ou bilatérale
(chiasma, bandelettes optiques, radiations optiques, lobe occipital)
Toute atteinte rétrochiasmatique doit bénéficier d'une imagerie cérébrale
Devant un hémianopsie bitemporale, toujours éliminer un adénome hypophysaire par réalisation
d'une IRM hypophysaire centrée sur la selle turcique.

1 ORIENTATION DIAGNOSTIQUE

Interrogatoire :

- Age, terrain, antécédents ophtalmologiques et généraux, traitements
- Motif de consultation
- Histoire de la maladie : mode de survenue (brutal/rapide/progressif), contexte et évolution
- Signes fonctionnels : baisse de l'acuité visuelle, amputation du champ visuel
- Signes associés : œil blanc et indolore/œil rouge et douloureux, phosphènes, Myodésopsies, métamorphopsies, larmoiements, photophobie, céphalées

Examen ophtalmologique complet bilatéral et symétrique ✒
Examens complémentaires orientés

2 BAISSE DE L'ACUITE VISUELLE

Baisse brutale de l'acuité visuelle :

- **Œil rouge et/ou douloureux** (cf. item 212) : touche le segment antérieur
  - Uvéite antérieure aiguë
  - Glaucome aigu par fermeture de l'angle
  - Kératite
  - Traumatisme oculaire
  - Glaucome néo-vasculaire
  - Endophtalmie
  - Avec acuité visuelle conservée : conjonctivite, hémorragie sous conjonctivale, sclérite, épisclérite
- **Œil blanc et indolore** (cf. item 187) : touche le segment postérieur
  - Vasculaire : OACR, OVCR, cécité monoculaire transitoire, néo-vaisseaux maculaires
  - Neuropathie : NORB, NOIAA, traumatisme du nerf optique
  - Rétinopathie : décollement de rétine, œdème maculaire, rétinite infectieuse, rétinopathie diabétique
  - Vitré : hémorragie intra-vitréenne, hyalite

Baisse progressive de l'acuité visuelle :

- **Troubles de la réfraction** (cf. item 287)
- **Cataracte** (cf. item 58)
- **Glaucome chronique à angle ouvert** (cf. item 240)
- **Rétinopathies et maculopathies :**
  - **DMLA** (cf. item 60)
  - **Rétinopathie diabétique non compliquée** (cf. item 233)
  - **Toxiques aux anti-paludéens de synthèse :**
    - × Maculopathie bilatérale dépendante de la dose cumulée et la durée du traitement
    - × Dyschromatopsie d'axe jaune-bleu et diminution de la sensibilité aux contrastes
    - × Scotome péricentral annulaire
    - × Stade évolué : modifications pigmentaires, baisse sévère de l'acuité visuelle irréversible

- × Nécessite une surveillance rapprochée sous traitement avec mesure de l'acuité visuelle, fond d'œil, vision des couleurs, champ visuel et examen électrophysiologique (ERG)
- **Rétinite infectieuse** : toxoplasmose, CMV
- **Œdème maculaire :**
  - × Etiologies : maculopathie diabétique, OVCR, post-chirurgie de la cataracte, uvéites postérieures
  - × Examens complémentaires : OCT, angiographie à la fluorescéine
- **Membrane épi-rétinienne :**
  - × Membrane fibreuse liée à l'âge à la face interne de la macula responsable de métamorphopsies et d'une baisse de l'acuité visuelle
  - × Traitement chirurgical : ablation de la membrane
- **Trou maculaire :**
  - × Trou fovéolaire responsable d'une baisse de l'acuité visuelle, métamorphopsies et scotome central
  - × Traitement chirurgical : obturation du trou
- **Rétinopathies héréditaires**
- **Neuropathie toxique alcoolique ou médicamenteuse :** atteinte du nerf optique responsable de troubles du champ visuel, d'une dyschromatopsie et d'une baisse de l'acuité visuelle

3 AMPUTATION DU CHAMP VISUEL

Atteinte des voies optiques entre la rétine et le lobe occipital cérébral (centre de la vision)

Examen du champ visuel :
- En consultation : champ visuel au doigt par confrontation
- Périmétrie manuelle cinétique de Goldmann : utilisée en particulier pour l'examen des pathologies neurologiques et neuropathies.
- **Périmétrie statique automatisée** ✍ : référence. Principalement utilisée pour le dépistage et le suivi du glaucome chronique

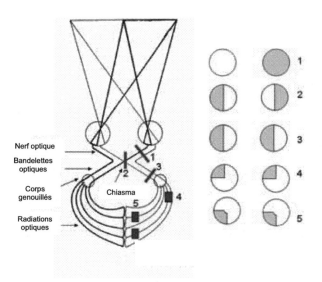

Nerf optique
Bandelettes optiques
Corps genouillés
Chiasma
Radiations optiques

Rétine :

- Scotomes centraux : DMLA, trou maculaire
- Décollement de rétine
- Rétinopathie pigmentaire :
  - Dégénérescence rétinienne héréditaire de transmission variable qui atteint les bâtonnets de la rétine pigmentaire
  - Baisse de l'acuité visuelle dans le noir : héméralopie
  - Rétrécissement du champ visuel en canon de fusil

Nerf optique :

- Scotomes :
  - Glaucome chronique : scotome arciforme de Bjerrum
  - NORB : scotome central ou cæco-central
  - NOIAA : scotome altitudinal
  - Neuropathie optique éthylique : scotome cæco-central bilatéral
- Neuropathie optique médicamenteuse : Ethambutol, Isoniaside
- Cécité unilatérale post-traumatique avec contusion du nerf optique
- Neuropathie optique tumorale (gliome, méningiome)

Chiasma :

- **Hémianopsie bitemporale** (quadranopsie bitemporale possible au début)
- Recherche d'un **adénome hypophysaire** ☛ en priorité
- **IRM cérébrale** centrée sur la selle turcique

Bandelettes optiques :

- **Hémianopsie latérale homonyme opposée au coté de la lésion**
- Causes vasculaires, tumorales ou traumatiques
- Nécessite la réalisation d'une imagerie cérébrale

Radiations optiques : **quadranopsie latérale homonyme** avec respect de la zone de fixation

Aire visuelle dans le lobe occipital :

- AVC ischémique vertébro-basilaire
- **Cécité corticale bilatérale et brutale**
- Examen : fond d'œil normal, réflexe photomoteur conservé
- Signes associés : anosognosie, désorientation temporo-spatiale, hallucinations visuelles

	ANNEE	CONTENU
DOSSIER TOMBE A L'ECN	2006	**Femme de 30 ans avec baisse de l'acuité visuelle rapide d'un œil et douleurs rétro-oculaires.** **Antécédent de diplopie spontanément régressive** **Cas de NORB sur sclérose en plaque**
	PROBABILITE	**CONTENU**
DOSSIER TOMBABLE	+++	**Orientation diagnostique devant une altération de la fonction visuelle**
	++	**Adénome hypophysaire révélé par une hémianopsie bitemporale et un syndrome hormonal sécrétant**

DIPLOPIE

304

Part III

 X 1

- Devant l'apparition d'une diplopie, argumenter les principales hypothèses diagnostiques et justifier les examens complémentaires pertinents

Eliminer en urgence : un anevrisme de la carotie interne (ophtalmoplégie douloureuse touchant le III extrinsèque et intrinsèque), une HTIC (diplopie par atteinte du VI et œdème papillaire bilatéral au fond d'œil) ou une maladie de Horton chez le sujet agé.

Eliminer une diplopie monoculaire persistant à l'occlusion d'un œil.

Etude de l'oculomotricité à la recherche d'une paralysie oculomotrice touchant un des 3 nerfs oculomoteurs.

Bilan orthoptique : test à l'écran (recherche un strabisme et un mouvement de refixation), test au verre rouge et test de Hess-Lancaster qui précise l'œil et les muscles atteints.

Etiologies : traumatiques, vasculaires, tumorales, inflammatoires, HTIC ou générales (maladie de Basedow, diabète, myasthénie, botulisme)

1 RAPPELS ANATOMIQUES

Nerfs oculomoteurs et leur innervation :

- Nerf oculomoteur III extrinsèque :
  - Droit médial : regard en dedans
  - Oblique inférieur : regard en haut et en dedans
  - Droit supérieur : en haut
  - Droit inférieur : en bas
  - Muscle releveur de la paupière supérieure : ptôsis si muscle atteint
- Nerf oculomoteur III intrinsèque :
  - Sphincter pupillaire : myosis (mydriase si nerf atteint)
  - Accommodation
- Nerf pathétique IV : muscle oblique supérieur pour le regard en bas et en dedans
- Nerf abducens VI : muscle droit latéral pour le regard en dehors

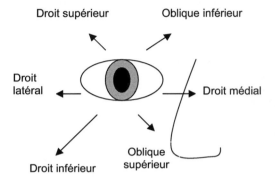

Territoire d'action des muscles oculomoteurs

Droit supérieur   Oblique inférieur

Droit latéral

Droit médial

Droit inférieur   Oblique supérieur

2 ORIENTATION DIAGNOSTIQUE

Définition : vision double d'un objet unique

Eliminer une cause monoculaire (rare) :
- Diplopie qui persiste à l'occlusion d'un œil
- Origine oculaire
- Etiologies :
  - Cornéennes : taie, kératocône, astigmatisme sévère, syndrome sec sévère
  - Cristallinienne : cataracte, luxation cristallinienne
  - Iris : iridectomie, iridodialyse
  - Maculopathie

Eliminer 3 urgences 💣 :
- **Anévrisme de la carotide interne 💣 :**
  - Urgence vitale diagnostique et thérapeutique
  - Diplopie douloureuse avec atteinte du III intrinsèque 💣 (mydriase) associé ou non au III extrinsèque
  - Angio-IRM en urgence
  - Prise en charge neurochirurgicale

- **Hypertension intracrânienne (HTIC)** ✒ :
  - Diplopie par atteinte du nerf VI bilatérale sans aucune valeur localisatrice
  - Céphalées, nausées/vomissements, troubles de la conscience
  - TDM cérébral en urgence ✒
  - Œdème papillaire bilatéral au fond d'œil (examen non indispensable en pratique face à des signes d'HTIC. Le TDM est le seul examen à réaliser en urgence)
- **Maladie de Horton** ✒ chez un sujet âgé :
  - Recherche de signes cliniques d'autres atteintes : pouls temporaux
  - VS/CRP en urgence

Interrogatoire :
- **Caractériser la diplopie :**
  - Verticale/horizontale
  - Variabilité dans la journée
  - Majorée dans certaines directions
- Terrain, antécédents
- Mode de survenue, notion de traumatisme ou d'effort et évolution
- **Signes associés** ✒ :
  - Douleur oculaire
  - Exophtalmie
  - **Autres signes neurologiques**

Examen clinique **multidisciplinaire en collaboration avec un neurologue :**
- Inspection :
  - Attitude compensatrice de la tête : torticolis
  - Strabisme
  - **Anisocorie** ✒ par atteinte du III intrinsèque
  - Ptôsis, exophtalmie
- **Etude de l'oculomotricité** ✒ :
  - Paralysie du III :
    × Limitation de l'adduction, élévation et abaissement
    × Ptôsis

- × Mydriase aréflexique si atteinte associée du III intrinsèque
- – Paralysie de IV : limitation du regard en bas et en dedans gênant la lecture et la descente des escaliers
- – Paralysie du VI : limitation de l'abduction et convergence de l'œil au repos
- **Examen pupillaire** 🩸 :
  - – Recherche une atteinte du III intrinsèque
  - – Examen du **réflexe photomoteur direct et consensuel**
  - – Paralysie complète du III = anévrisme carotidien 🩸
- Fond d'œil : recherche un œdème papillaire ou une atrophie papillaire
- Examen ophtalmologique complet : acuité visuelle, lampe à fente, tonus oculaire
- **Bilan orthoptique** 🩸 :
  - – **Examens des reflets cornéens en position primaire :** recherche un décentrement d'un reflet sur un œil par rapport à l'autre
  - – **Test à l'écran alternatif ou « cover test » :** cherche une déviation de l'œil atteint et son mouvement de refixation au moment du retrait de l'écran
  - – **Test au verre rouge :**
    - × Un verre rouge est placé devant l'œil droit
    - × Le patient fixe ainsi un point lumineux blanc
    - × Normalement le patient ne doit voir qu'un unique point rose
    - × Ce test analyse le décalage vu par le patient entre le point blanc (vu par l'œil sans verre rouge) et le point rouge (vu par l'œil avec le verre rouge)
  - – **Test de Hess-Lancaster** 🩸 :
    - × Confirme le diagnostic de paralysie oculomotrice
    - × Détecte l'œil atteint : dessins plus petits pour l'œil pathologique
    - × Détecte les muscles concernés : le dessin de l'œil atteint est plus petit dans le territoire des muscles pathologiques

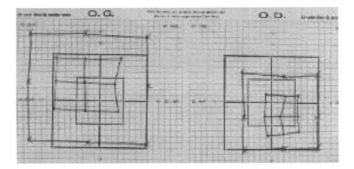

Œil droit pathologique dans le regard en adduction et élévation

3 ETIOLOGIES

Traumatiques :
- **Fracture du plancher de l'orbite avec incarcération du muscle droit inférieur :**
  - Enophtalmie, emphysème sous cutané
  - Diplopie verticale vers le haut (l'œil atteint ne monte pas)
  - Anesthésie sous orbitaire par atteinte du V2
  - TDM du massif facial
  - Traitement chirurgical avec test de duction forcée au bloc
- Hématome ou œdème orbitaire
- Traumatisme crânien :
  - Hématome extradural (III intrinsèque : mydriase)
  - **Fistule carotido-carverneuse :**
    - × Exophtalmie pulsatile
    - × Souffle orbitaire
    - × Vasodilatation des veines conjonctivales « en tête de méduse »
  - Hémorragie méningée
  - Fracture du rocher
  - Plaie sectionnant un nerf oculomoteur

HTIC avec paralysie du nerf VI bilatérale

Tumeurs de la base du crâne

Vasculaire :

- **Anévrisme de la carotide interne** : angio-IRM en urgence
- **Maladie de Horton** : VS en urgence
- **Athérosclérose**
- AVC du tronc cérébral : syndromes alternes
- Sténose de la carotide interne

Inflammatoires :

- **Sclérose en plaques** (cf item 125) par atteinte du VI ou du III ou par ophtalmoplégie internucléaire
- Syndrome de Guillain-Barré (syndrome de Miller-Fisher)

Générales :

- **Maladie de Basedow** (cf. item 246) : exophtalmie associée
- **Mono-neuropathie diabétique**
- **Myasthénie :** augmenté par la fatigue, jamais d'atteinte du III intrinsèque
- Pathologies infectieuses : tétanos, diphtérie, botulisme

Diplopies douloureuses :

- Maladie de Horton
- Anévrisme de la carotide interne
- Migraine ophtalmoplégique
- Mono-neuropathie diabétique
- Ophtalmoplégie de Tolosa Hunt

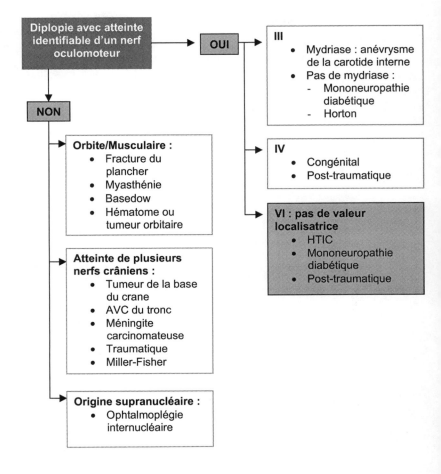

4 PRISE EN CHARGE DE LA DIPLOPIE

Prise en charge étiologique en priorité 💣☀

Principes :

- Supprimer la deuxième image : occlusion alternée des yeux par des caches (sur peau ou sur verre de lunettes)
- Si possible, intégration de verres prismés dans les lunettes pour superposer les 2 images
- Prise en charge chirurgicale possible seulement après stabilisation de la diplopie (le plus souvent après 1 an de suivi)

 DOSSIERS TOMBES ET TOMBABLES

	ANNEE	CONTENU
DOSSIER TOMBE A L'ECN	2006	**NORB chez une patiente atteinte de SEP avec antécédent régressif d'une diplopie**
	PROBABILITE	**CONTENU**
DOSSIER TOMBABLE	**+++**	**Diplopie comme signe précurseur d'une urgence neurologique (anévrisme ou HTIC)**
	++	**Diplopie au cours d'une SEP, d'une myasthénie ou d'un diabète**

STRABISME DE L'ENFANT

- Devant un strabisme de l'enfant, argumenter les principales hypothèses diagnostiques et justifier les examens complémentaires pertinents

333

Part III

 X 0

Dépistage précoce indispensable pour prévenir l'amblyopie.
Examen ophtalmologique complet pour éliminer une cause secondaire au strabisme.
Réfraction objective sous cycloplégique : cherche à démasquer une hypermétropie
Etude du strabisme : son sens par les reflets cornéens et le test à l'écran unilatéral, son angle par prismes, son alternance par le test de l'écran alterné.
Recherche d'une amblyopie : acuité visuelle subjective, réaction à l'occlusion alternée des yeux, test de la vision binoculaire.
Bilan orthoptique systématique
Prise en charge : correction optique totale pour limiter la déviation et pénalisation de l'œil sain pour traiter l'amblyopie. Traitement chirurgical une fois stabilisation ou guérision de l'amblyopie.

1 GENERALITES

Définition : perte de parallélisme des 2 yeux

Enjeux :

- **Eliminer une pathologie organique sous-jacente** 🌢
- **Eviter la survenue d'une amblyopie** 🌢

Termes :

- **Exotropie** : strabisme divergent/ **Esotropie** : strabisme convergent (le plus fréquent)

- **Strabisme concomitant** : l'œil atteint accompagne l'œil normal dans ses mouvements/ **Strabisme paralytique** : l'œil atteint ne suit pas l'autre œil

- **Strabisme fixe ou alternant** : touche toujours le même œil ou alternant

- **Amblyopie** 🌢 : complication principale du strabisme
  - Définition : diminution de l'acuité visuelle, d'origine anorganique, liée à une privation visuelle ou à une anomalie de la vision binoculaire
  - **Réversible sous traitement** si elle est prise en charge tôt, avant la fin du développement visuel, soit **avant 6 ans**

– Physiopathologie : le strabisme est responsable de la projection sur la rétine de 2 images d'un même objet. Pour éviter la diplopie, le cerveau par un phénomène de suppression, va neutraliser une des deux images. A long terme, cette neutralisation va entraîner une baisse de l'acuité visuelle de l'œil concerné, irréversible après 6 ans.

2 EXAMEN D'UN STRABISME

Interrogatoire :
- Age de l'enfant : car amblyopie irréversible après 6 ans
- Antécédents familiaux de strabisme
- Œil dévié unilatéral ou alternant
- Date de début et mode d'apparition
- Signes associés

Inspection :
- Attitude compensatrice de la tête
- Eliminer une **leucocorie ou anisocorie** 💧
- Perte de parallélisme des 2 yeux

Examen ophtalmologique :
- **Réfraction objective :**
  – **Sous cycloplégique** 💧
  – But : dépister une hypermétropie responsable d'un strabisme convergent par le réflexe d'accommodation-convergence
- **Oculomotricité** : **élimine une paralysie oculomotrice** 💧
- Lampe à fente et fond d'œil : **élimine une cause organique oculaire au strabisme ou à l'amblyopie** 💧

Recherche d'une amblyopie 💧 :
- **Acuité visuelle subjective** selon l'âge de l'enfant :
  – 3 à 24 mois : cartons de Teller
  – 2 à 6 ans : dessins de Rossano
  – Plus de 6 ans : échelle de Monoyer et de Parinaud
- **Réaction à l'occlusion alternée des yeux : recherche d'amblyopie** chez l'enfant de moins de 18 mois

- Recherche une réaction de défense de l'enfant à l'occlusion d'un œil, évocatrice d'une amblyopie sur l'œil laissé ouvert
- **Perte de la vision binoculaire** objectivée par :
  - Test de Lang : image en relief non vue par le patient
  - Test de Worth

Etude du strabisme :

- **Sens du strabisme :**
  - **Test des reflets cornéens** : reflets non symétriques et non centrés sur la pupille en cas de strabisme
  - **Test à l'écran unilatéral et alterné** : permet de détecter les strabismes
    × Cache alternatif d'un œil puis de l'autre
    × Met en évidence tout mouvement de refixation
- **Angle du strabisme en dioptries :** étude par prismes

3 CAUSES ORGANIQUES A ELIMINER

Eliminer une cause organique d'amblyopie :

- **Rétinoblastome** ☀
- Persistance du vitré primitif
- Cataracte congénitale
- Décollement de rétine

Eliminer une cause neurologique de strabisme (paralysie oculomotrice, atteinte du reflexe photomoteur, apparition aigue)

- HTIC
- Tumeur du tronc cérébral

4 FORMES CLINIQUES

Le seul strabisme « physiologique » est le strabisme convergent et intermittent du petit enfant avant 4 mois ☀

Strabisme accommodatif ✒ **:**

- Le plus fréquent, convergent
- Secondaire à une hypermétropie
- Signes associés : fatigue visuelle, céphalées
- L'enfant compense son hypermétropie par le réflexe d'accommodation-convergence qui entraîne un strabisme

Strabisme essentiel précoce :

- Apparaît de façon précoce
- Le plus souvent convergent
- Facteurs de risques : prématurité, souffrance néo-natale ou intra-utérine, antécédents familiaux

5 EXAMENS COMPLEMENTAIRES

Aucun sauf imagerie cérébrale en urgence si :

- Paralysie oculomotrice d'apparition brutale
- Suspicion d'HTIC ou de tumeur du tronc cérébral

6 PRISE EN CHARGE

Dépistage et prise en charge précoce ✒

Enjeu : Garantir à tous les enfants un développement visuel de leurs 2 yeux pour débuter dans la vie avec un potentiel maximal de vision.

Bilan orthoptique systématique

Traitement de la réfraction : **correction optique totale des troubles de la réfraction** ✒

Prévention ou traitement de l'amblyopie avant 6 ans ✒ :

- **Pénalisation de l'œil sain** ✒ par :
  - Occlusion par caches oculaires sur peau en cas d'amblyopie sévère ou sur verres de lunettes si amblyopie moins profonde
  - Puis pénalisation dans les verres de lunettes

Cette pénalisation doit être alternée et surveillée pour éviter l'apparition d'une bascule de l'amblyopie sur l'œil sain

Après guérison ou stabilisation de l'amblyopie : **chirurgie musculaire de réaxation** si persistance du strabisme

Surveillance régulière ophtalmologique et orthoptique

 DOSSIERS TOMBES ET TOMBABLES

	PROBABILITE	CONTENU
DOSSIER TOMBABLE	+	**Diagnostic et prise en charge d'un strabisme accommodatif.** **Prévention de l'amblyopie**

UNIVERSITE PAUL SABATIER
S.C.D. BIBLIOTHEQUE UNIVERSITAIRE de SANTE
Service Banque de Prêt
65 Chemin du Vallon
31062 TOULOUSE Cedex 09
Tél. : 05.62.17.28.70
à retourner le :

0 6 MAI 2014

2 0 MAI 2015
1 6 JUIN 2015

1 0 SEP. 2015